NOUVEAUX CLAS  KU-229-154

Collection fondée en 1933 par
FÉLIX GUIRAND

continuée par
LÉON LEJEALLE (1949 à 1968)   et   JEAN-POL CAPUT (1969 à 1972)
Agrégés des Lettres

MÉDITATIONS

Descartes
à la cour
de Christine
de Suède.

Peinture de
Pierre Dumesnil.

Versailles,
musée du château.

Phot. Giraudon.

DESCARTES

MÉDITATIONS

avec une Notice biographique, une Notice historique
et littéraire, des Notes explicatives, une Documentation
thématique, des Jugements, un Questionnaire et des Sujets de devoirs,

par

MARC SORIANO

Agrégé de Philosophie

ÉDITION REMISE À JOUR

LIBRAIRIE LAROUSSE

17, rue du Montparnasse, et boulevard Raspail, 114
Succursale : 58, rue des Écoles (Sorbonne)

RÉSUMÉ CHRONOLOGIQUE
DE LA VIE DE RENÉ DESCARTES
1596-1650

1596 — Naissance de René Descartes à La Haye, à la limite de la Touraine et du Poitou, le 31 mars, baptisé le 3 avril à Saint-Georges de La Haye. Troisième enfant de Joachim Descartes, conseiller au parlement de Rennes, et de Jeanne Brochard, morte un an après sa naissance, des suites d'un cinquième accouchement, semble-t-il, le 13 mai 1597. Grand-père maternel, lieutenant général du présidial de Poitiers; grand-père paternel, médecin à Châtellerault. Bourgeoisie montante pourvue d'offices nécessitant une certaine instruction. Père remarié en 1600 et vivant en Bretagne.

1597-1606 — Le jeune René est élevé à La Haye par sa grand-mère.

1606-1614 — Dates, longtemps controversées, du séjour de Descartes au **collège de La Flèche,** fondé en 1604. Quand Descartes parle des « philosophes », c'est à ceux qui lui enseignèrent la philosophie scolastique à La Flèche qu'il pense. Il fit ces études à la fin de sa scolarité, selon le cycle des études chez les jésuites, de 1612 à 1614 : c'est toute cette époque que vise le *Discours de la méthode.*

1614-1616 — Descartes aurait alors poursuivi ses études en droit et en médecine à Poitiers. On ne sait pas ce qu'il y fit, mais il reçut son grade de bachelier le 9 novembre 1616 et son grade de licencié en droit le 10 novembre de la même année.

1618 — Engagement dans les armées recrutées par Maurice de Nassau, prince d'Orange, qui soutient les protestants, dès le début de l'année 1618. C'est en novembre de cette même année que Descartes fait la **connaissance d'Isaac Beeckman** : par leur correspondance, par le journal de Beeckman, Descartes entre dans l'existence historique. On ne saurait séparer de ce contexte les traités de jeunesse : *Traité de musique, Traité de l'escrime, Olympica, Cogitationes privatae,* etc. Voyage au Danemark et en Allemagne, où Descartes passe au service du prince catholique Maximilien de Bavière après avoir assisté aux fêtes du couronnement de Frédéric II à Francfort.

1619 (10-11 novembre) — Date capitale pour le développement des pensées de Descartes et pour celui de l'histoire des idées. Au cours de cette nuit-là, **Descartes eut trois songes,** dont il a médité le développement et le sens symbolique : il en retire que la méthode qu'il met au point pour ses études mathématiques devrait devenir la méthode valable en toutes disciplines, une *mathesis universalis.* Le *Discours* fait allusion à cet événement et en apporte tous les développements culturels. Le vœu d'un pèlerinage à Lorette s'en serait suivi, dont on ne peut dire s'il prit place dans le voyage en Italie.

1620 — Descartes aurait assisté à la bataille de la Montagne-Blanche, à la suite de laquelle Frédéric V, roi de Bohême, électeur du Palatin, perdit son trône. Comme Descartes le dit dans le *Discours,* il continua pendant quelques années ses voyages.

1622-1623 — Séjour en France, dans sa famille, et à Paris. Descartes assied son indépendance matérielle, à laquelle il fait allusion dans le *Discours,* en signant plusieurs actes notariés durant son séjour. Cette indépendance matérielle lui permettra de poursuivre son œuvre en toute liberté.

1623-1625 — Descartes voyage en Italie, assiste à Venise au mariage du doge avec la mer Adriatique, puis au jubilé d'Urbain VIII à Rome.

© *Librairie Larousse,* 1973.   ISBN 2-03-034312-9

1625-1627 — Descartes séjourne à Paris, et, de l'été 1625 à l'automne 1627, il prend de nombreux contacts avec les milieux scientifiques et philosophiques de la capitale. Il connaît Guez de Balzac, Mydorge, Morin, Villebressieu, le père Mersenne, tout en poursuivant ses travaux de mathématiques, ses recherches de physique, son initiation à la physiologie. Le *Studium bonae mentis* date de cette époque. A l'automne 1627, il assiste à une conférence de Chandoux, se fait remarquer lors de la discussion, accepte une invitation de Bérulle, qui venait de fonder, en 1624, les premiers collèges oratoriens. Remarque d'importance, car le *Discours*, qui n'avait aucune chance d'être entendu de ceux qu'il critiquait, ni d'entrer dans les collèges des jésuites, dont il combattait l'enseignement, deviendra la charte pédagogique des collèges oratoriens, qui vont s'opposer durant un siècle aux collèges de jésuites comme représentant l'esprit « moderne » contre les « anciens ». Rédaction et abandon des *Règles pour la direction de l'esprit*.

1629 — Installation en Hollande, à Franeker, où Descartes se fait inscrire à l'université, retrouve Beeckman et se lie aux milieux littéraires hollandais. La correspondance avec la France commence en toutes directions. Puis jusqu'en 1637, date du *Discours de la méthode*, Descartes poursuit ses travaux, en contact avec Plempius, Schooten, Huygens, etc. En 1632, il commence à rédiger le *Monde*, qui comporte son *Traité de la lumière*. En 1633, son *Traité de l'homme* est en genèse; les *Méditations sur la métaphysique* sont composées dès cette époque.

1633 — Le Saint-Office condamne la thèse de Galilée sur la rotation de la Terre. Descartes suspend son projet de faire imprimer le *Monde*.

1635 — De sa gouvernante Hélène, Descartes a une fille Francine, baptisée le 7 août à l'église réformée de Deventer et légitimée. Il termine la *Dioptrique* et les *Météores*, et tient prête une *Géométrie*, essais que le *Discours* introduira (8 juin).

1637 — Parution à Leyde du *Discours de la méthode*.

1640 — Mort du père de Descartes, de sa sœur Jeanne, de sa fille Francine.

1641 — La publication du *Discours* déclenche des polémiques avec Petit, Morin, Roberval, Fermat, etc. **Publication en latin des *Méditations sur la métaphysique,*** avec des *Objections* de Caterus, Mersenne, Hobbes, Arnauld, Gassendi, de géomètres et de théologiens, et des *Réponses* de Descartes. Septièmes Objections de Bourdin dans l'édition de 1642.

1644 — Les relations avec la princesse Elisabeth se développent. Voyage en France : Touraine, Bretagne, Paris, où Descartes fait la connaissance de Chanut, de Clerselier. Traduction latine du *Discours* par de Courcelles. **Publication latine des *Principes de la philosophie.*** Reprise des études de médecine pour le *Traité de l'homme.*

1645 — Polémique de plus en plus acerbe de Regius et de Voetius.

1647-1648 — Séjours à Paris, offre d'une pension royale, rencontre avec Pascal. Traductions françaises des *Méditations* par le duc de Luynes, des *Principes* par l'abbé Picot.

1649 — *Traité des passions de l'âme.* En octobre, Descartes arrive à **Stockholm,** répondant à l'invitation de la reine Christine de Suède.

1650 — Il prend froid à entretenir la reine de bon matin et **meurt le 11 février** à Stockholm. Ses restes furent transférés à Paris en 1667 à Saint-Etienne-du-Mont, puis à Saint-Germain-des-Prés en 1819. Clerselier fit paraître le *Traité de l'homme* et les *Lettres* en 1664.

DESCARTES ET SON TEMPS

	la vie et l'œuvre de Descartes	le mouvement intellectuel et artistique	les événements historiques
1596	Naissance de René Descartes à La Haye (Touraine) le 31 mars.	Kepler : *Prodromus dissertationum... de admirabili proportione orbium coelestium.* Tycho Brahé : premier livre des *Lettres sur l'astronomie.* Malherbe : *Ode au roi sur la prise de Marseille.*	Soumission du duc d'Épernon à Henri IV.
1618	Engagement dans l'armée hollandaise de Maurice de Nassau.	Gomberville : *Polexandre,* roman d'aventures héroïques et sentimentales. Racan : *Stances sur la retraite.* Guilhem de Castro : publication des *Enfances du Cid.*	De Luynes succède à Concini. Défenestration de Prague ; révolte de la Bohême. Début de la guerre de Trente Ans.
1619	Voyage au Danemark, en Allemagne. Il découvre les idées directrices de sa méthode (10-11 novembre).	Kepler : *Harmonices mundi* (qui contient l'exposé du mouvement des planètes). Rubens : les *Filles de Leucippe.*	Les Tchèques, en révolte contre l'Empereur, élèvent roi le palatin Frédéric V (débuts de la guerre de Trente Ans). Exécution de Barneveldt, grand pensionnaire des Pays-Bas, accusé par Maurice d'Orange d'hostilité au calvinisme.
1620	Assiste, dans l'armée du duc de Bavière, à la bataille de la Montagne-Blanche.	Fr. Bacon : *Novum organum.* Racan : *Bergeries.*	Réunion du Béarn à la France. Nouvelle révolte de Marie de Médicis : traité d'Angers. Défaite des Tchèques à la Montagne-Blanche : répression contre la Réforme.
1621	Retour en Hollande.	Édition posthume des *Recherches de la France,* d'E. Pasquier.	Siège de Montauban tenu par les protestants : mort de Luynes. Reprise de la guerre entre l'Espagne et les Provinces-Unies.
1625	Voyage en Italie (pèlerinage à Notre-Dame-de-Lorette) et retour en France.	Fr. Bacon : cinquième édition des *Essais.*	Le Danemark entre en guerre contre l'Empereur. Wallenstein chargé du commandement des troupes impériales. Avènement de Charles Ier d'Angleterre.

1629	Installation en Hollande.	Naissance de Huygens. Harvey : De motu cordis. Corneille : Mélite. Saint-Amant : Œuvres.	Édit de grâce d'Alès. Campagne de Richelieu en Piémont.
1633	Renonce à publier le Monde, en cours d'impression.	Saint-Cyran, directeur de conscience à Port-Royal. Galilée est forcé par l'Inquisition à abjurer ses théories. Le P. Yves de Paris : Théologie naturelle.	Oxenstierne reconstitue la Ligue protestante à Heilbronn.
1637	Publication du Discours de la méthode, avec la Dioptrique, les Météores, la Géométrie.	Établissement des solitaires à Port-Royal. Desmarets de Saint-Sorlin : les Visionnaires. Querelle du Cid. Mort de Ben Jonson.	Révolte des « Croquants » du Limousin. Révolte de l'Écosse contre Charles Iᵉʳ.
1641	Méditations métaphysiques, en latin.	Condamnation de l'Augustinus de Jansénius. Corneille : Cinna.	Complot du comte de Soissons. Alliance franco-portugaise. Début des négociations de paix entre la France et l'Empire.
1644	Traduction latine du Discours de la méthode. Publication des Principes de la philosophie (en latin).	Torricelli découvre la pesanteur de l'air. Débuts de Molière. G. de Balzac : Œuvres diverses.	Cromwell prend York.
1647	Descartes, cette année et la suivante, fait plusieurs voyages en France; rencontre avec Pascal. Traduction en français des Méditations et des Principes.	Gassendi : De vita Epicuri. Pascal : Nouvelles Expériences touchant le vide. Rotrou : Venceslas. Corneille est reçu à l'Académie française. Vaugelas : Remarques sur la langue française.	Fuite de Charles Iᵉʳ en Écosse : il est livré au Parlement par les Écossais.
1649	Publication du Traité des passions de l'âme. Départ pour la Suède.	Traduction française du De cive de Hobbes (1642). Début de la polémique sur l'Augustinus de Jansénius. Mˡˡᵉ de Scudéry : Artamène ou le Grand Cyrus.	Révolte parisienne (la Fronde) : Paris assiégé par le roi. Révolte de Turenne. Procès et exécution de Charles Iᵉʳ.
1650	Mort de Descartes à Stockholm (11 février).	Corneille : Andromède. Rembrandt : la Pièce aux cent florins.	Arrestation de Condé. Bataille de Rethel. Cromwell envahit l'Écosse : bataille de Dunbar.

BIBLIOGRAPHIE SOMMAIRE

Henri Gouhier	*la Pensée religieuse de Descartes*, Paris, Vrin, 1924; *la Pensée métaphysique de Descartes*, Paris, Vrin, 1962.
Jean Segond	*la Sagesse cartésienne et l'idéal de la science*, Paris, Vrin, 1932.
Henri Lefebvre	*Descartes*, Paris, Éditions d'Hier et d'Aujourd'hui, collection « Grandes Figures », 1947.
Albert Rivaud	*Histoire de la philosophie*, tome III, Paris, P. U. F., 1950.
Roger Lefèvre	*la Vocation de Descartes*, Paris, P. U. F., 1956; *la Bataille du Cogito*, Paris, P. U. F., 1960.
Geneviève Rodis-Lewis	*Descartes et le rationalisme*, Paris, P. U. F., 1966.

MÉDITATIONS

1641

NOTICE

Ce qui se passait vers 1641. — EN POLITIQUE : *Fin du règne de Louis XIII, qui va mourir en 1643, et du gouvernement de Richelieu, qui va mourir en 1642. Guerre de Trente Ans. Politique économique destinée à développer le négoce, les manufactures et le trafic maritime. Troubles durement réprimés en Normandie. Établissement et installation à poste fixe, dans les provinces, des intendants de justice, police et finances.*

DANS LES LETTRES ET LA PHILOSOPHIE : *Corneille vient de donner* Cinna *(fin 1640). Publication posthume de l'*Augustinus *de Jansénius. Pascal, qui a dix-huit ans, vient d'imprimer son* Essai sur les coniques. *Le cartésianisme développe son influence en Hollande : Réneri, qui enseignait la physique cartésienne, meurt à Leyde en 1639, et Régius, qui se proclame disciple de Descartes, le remplace.* — *A Utrecht, un jeune et fougueux étudiant, de Racy, soutient des thèses cartésiennes qui font scandale et se heurte en particulier au recteur, le théologien Gisbert Voël, qui deviendra pour Descartes un adversaire dangereux, en l'accusant d'athéisme.*

La place des « Méditations » dans l'œuvre de Descartes. — Elles ont été publiées en latin, chez Soly, en 1641, et traduites en français par le duc de Luynes. L'édition française de 1647 est augmentée des « objections faites aux méditations » et des réponses de M. Descartes, traduites par Clerselier. Descartes lui-même a revu et corrigé l'ensemble.

Descartes, dans l'épître *A Messieurs les Doyens et Docteurs de la Sacrée faculté de théologie de Paris*, expose le but de son ouvrage. Comme en 1637, dans le *Discours*, comme en 1644, dans les *Principes*, il s'agit « de la recherche de la vérité ». Mais les *Méditations* la poursuivent principalement sur le plan de la métaphysique et se proposent d'en exposer les fondements.

Ces fondements seront présentés suivant les principes de la méthode cartésienne : « Je crois, écrit Descartes dans la même lettre, qu'on ne saurait rien faire de plus utile en la philosophie que d'en rechercher une fois curieusement et avec soin les meilleures [démonstrations] et les plus solides, et les disposer en un ordre si clair et si exact qu'il soit constant désormais à tout le monde, que ce sont de véritables démonstrations. Et enfin, d'autant que plusieurs personnes ont désiré cela de moi, qui ont connaissance que j'ai cultivé une certaine méthode... » Descartes semble faire allusion ici à cette soirée de novembre 1627, où il assistait à la conférence du sieur de Chandoux, chez le nonce du pape : il avait pris part à la discussion en présence du cardinal de Bérulle, qui lui avait fait une obligation de se consacrer à la réforme de la philosophie.

Mais cette méthode, dont il s'était servi « assez heureusement en d'autres rencontres », il l'applique à présent à la métaphysique, dessein qu'il entrevoit bien comme périlleux, ce qui explique qu'il se mette sous la protection de la « sacrée faculté » et se déclare prêt, en même temps et par avance, à reconnaître ses erreurs en ce qui regarde la raison et surtout la foi.

Pourquoi Descartes s'est-il aventuré dans ce guêpier ? Le mot « guêpier » n'est pas exagéré. L'époque, pour les esprits libres, sent le bûcher et la corde. Les procès de Giordano Bruno, de Vanini, de Galilée ne sont pas si éloignés.

Faut-il imaginer que la promesse faite au cardinal de Bérulle est contraignante pour Descartes ? Mais alors reconnaissons qu'il a pris le temps — quatorze ans — de réfléchir. En fait, le *Discours* laisse entendre d'autres raisons : « Si j'y manquais, plusieurs qui ont su l'intention que j'avais eue ci-devant de faire imprimer quelques écrits pourraient s'imaginer que les causes pour lesquelles je m'en abstiens seraient plus à mon désavantage qu'elles ne sont... » (*Discours de la méthode*, édit. Larousse, VIe partie). Les langues vont bon train. On fait dire à Descartes beaucoup de choses qui frisent l'hérésie. Les disciples sont moins adroits que le maître, et Descartes, la même année (1641), le vérifiera avec l'affaire des placards de Regius. Ce disciple trop zélé, et qui fut peut-être un agent provocateur, soutint avec une grande imprudence des thèses cartésiennes que Descartes fut obligé de désavouer Il s'agit en apparence de mettre au point, en fait de se défendre.

Ce n'est pas que la philosophie de Descartes, comme on l'a prétendu, n'ait pas besoin de métaphysique. La métaphysique de Descartes, sa religion même sont sincères. Il entrait dans le dessein de Descartes de faire reposer sa science sur la métaphysique, de donner à l'arbre du savoir des racines divines. Cependant, de ces racines, de ce fondement, il ne sera plus question par la suite, ce qui revient en somme à profondément séparer la métaphysique et la physique.

Cette contradiction, soutenue par Descartes à force d'incons-cience, d'adresse, d'impertinence aussi (voir la réponse aux objec-tions de Gassendi), est difficilement soutenable. On le lui fit bien voir. C'est aussi pourquoi, nous le montrerons, ceux qui se réclament de Descartes se sont orientés dans des directions opposées

Schéma de la métaphysique cartésienne. — Nous ne donnerons pas de résumé des *Méditations*, car Descartes s'est chargé lui-même de ce travail et l'a effectué avec une clarté parfaite (voir *Abrégé* p. 24). Nous nous proposons plutôt un schéma de la démarche cartésienne.

1re *étape* : Du douteux au doute.

Il faut poser dès le départ que le doute cartésien ne saurait en aucun cas être assimilé au doute sceptique. Descartes poursuit méthodiquement la recherche de la certitude (quelque chose de ferme et de constant dans les sciences) :

a) Première sorte de « douteux » : les idées reçues (dogmatisme), les préjugés, qui d'ailleurs se contredisent : à cette matière douteuse, Descartes oppose un doute méthodique;

b) Arguments de l'illusion des sens, du songe;

c) Argument du malin génie qui pourrait déranger les vérités mathématiques. On passe ainsi du doute méthodique au doute hyperbolique que Descartes appellera, dans la IIIe Méditation, « léger et pour ainsi dire métaphysique ».

Cette 1re étape occupe la Ire Méditation. Dans le *Discours*, elle va de la 1re à la 3e partie; Descartes y suit l'ordre analytique et historique de sa vie : aussi le *Discours* comporte deux grandes digressions, l'une concernant les règles de la méthode, l'autre concernant les règles de la morale provisoire. Dans les *Principes*, qui retrouvent l'ordre des raisons et non celui des matières, cette première démarche occupe les six premiers paragraphes.

2e *étape* : Le doute comme acte de pensée.

La pensée est plus aisée à connaître que le corps :

a) Le doute est renversé et devient certitude de la pensée;

b) « Penser », c'est être (ce qui démontre l'existence de la pensée comme acte). Ici, en annexe, Descartes pose le problème du temps (je suis, j'existe, cela est certain, mais « combien de temps ? »);

c) La pensée est plus aisée à connaître que l'étendue, l'esprit que le corps : généralité de l'acte de penser (le morceau de cire).

Cette étape occupe la IIe Méditation; elle correspond aux trois premiers paragraphes de la IVe partie du *Discours*, et, dans les *Principes*, aux paragraphes 7 à 13. Sur le rapport du « Cogito, ergo sum », avec la même démarche chez saint Augustin, on lira avec fruit une *Lettre à X...*, de novembre 1640.

3e *étape* : Démonstration de l'existence de Dieu (forme cartésienne de la preuve ontologique) :

a) Étude logique des idées, qui devrait servir à montrer dans quel cas à une idée correspond une réalité. Cette étude, tout imprégnée de la logique du moyen âge, contient un tour de passe-passe très adroit, que dénoncera Kant, dans la critique de l'idéal transcendantal (*Critique de la raison pure*, éd. Alcan, p. 492) : Descartes remplace subrepticement la notion de réalité ou d'existence par la notion de « perfection » ou de « degré » (éminent) d'être. Autrement dit un jugement de valeur est posé comme jugement de réalité, ce qui revient à sous-entendre dans cette valeur la réalité qu'il s'agissait précisément de démontrer;

b) Analyse du « je pense », destinée à préciser son contenu, un contenu qui ne tombe pas sous le coup du doute défini dans la première étape et qui lui appartienne en propre. Il s'agit, en somme, de découvrir une « idée innée ». Il ne reste, en définitive, que l'idée du parfait qui puisse être, par définition, *antérieure* au « cogito »;

c) De cette idée du parfait, Descartes conclut à l'existence du parfait, ce qui est à proprement parler la preuve ontologique de l'existence de Dieu, c'est-à-dire la preuve qui conduit de l'essence de Dieu à son existence;

d) Autre preuve : par l'existence du temps. Le « cogito » ne dure qu'un instant. Il faut qu'il y ait une cause qui non seulement produise et crée, mais aussi conserve. Cette preuve par les lois générales du monde (lois de conservation) est celle que Kant appelle la preuve cosmologique; c'est la preuve qui, à partir de l'ordre de l'univers (cosmos), conduit à un créateur de cet ordre. Kant montrera qu'elle se ramène à la preuve ontologique;

e) Autre preuve qu'on pourrait appeler Dieu et le triangle (Ve Méditation) : elle intervient après que Descartes ait démontré l'essence des choses spirituelles (IVe Méditation) et celle des choses matérielles (Ve Méditation) à partir, il est vrai, de la démonstration de l'existence de Dieu indiquée dans le paragraphe *c*. Elle revient à dire que Dieu est un concept inséparable de l'existence, ce qu'on pourrait interpréter comme une simple redite de l'argument ontologique mais la comparaison avec le triangle, dont l'essence ne peut être séparée de la grandeur de ses trois angles égaux à deux droits, lui donne un autre sens. Descartes, prévoyant, si l'on peut dire, l'objection de Kant (*op. cit.*, p. 492 et suivantes), distingue les deux cas : « La montagne et la vallée [l'essence du triangle et la grandeur de ses trois angles égaux à deux droits], soit qu'il y en ait, soit qu'il n'y en ait point, ne se peuvent en aucune façon séparer l'une de l'autre; au lieu que, de cela seul que je ne puis concevoir Dieu sans existence, il s'ensuit que l'existence est inséparable de lui. » En termes kantiens, cela veut dire que le concept de Dieu est, par définition, synthétique, ce qui revient à définir Dieu par la nature. Mais Descartes hésite à assimiler Dieu et la nature, comme le fera Spinoza : « Deus sive natura », car c'est une hérésie caractérisée. C'est pourquoi Descartes revient à sa définition de Dieu comme valeur (« un être souverainement parfait »). Cette preuve, qui, par moments, ressemble à celle que Kant appelle la preuve physico-théologique (de la perfection du détail à l'auteur de cette perfection), finit par s'identifier à la preuve ontologique, suivant un processus étudié avec une impitoyable précision par Kant (*Critique de la raison pure*, Alcan, p. 495). Dans le *Discours*, voir IVe partie, fin; dans les *Principes*, voir paragraphes 13 à 22.

4ᵉ *étape* : Démonstration des principes de l'esprit humain; théorie de l'entendement et de la volonté; qu'est-ce que le jugement vrai, l'erreur, le doute ? Prise de position sur la liberté.

Nous reviendrons sur cette étape, qui permet à Descartes de s'expliquer sur des sujets essentiels en philosophie, notamment sur le problème de la connaissance et de la liberté.

Nous nous bornons à dégager le schéma de la démonstration :

a) La connaissance (de l'existence) de Dieu permet celle de l'esprit;

b) Théorie de l'entendement fini et de la volonté infinie qui rendent compte des degrés de la connaissance;

c) Distinction entre le libre arbitre, ou liberté d'indifférence, et la liberté vraie, qui suppose une parfaite clarté dans l'entendement et une parfaite détermination dans la volonté. Dans le *Discours*, cette partie manque et renvoie plutôt aux règles de la Méthode. Voir aussi, dans les *Principes*, I, paragraphes 22 à 44.

5ᵉ *étape* : Démonstration non encore des choses, mais des idées des choses.

Il s'agit des principes les plus simples, à partir desquels la science humaine sera composée. Descartes ne les considère pas dans les choses, qui ne sont pas encore démontrées comme existantes, mais dans l'esprit, où elles sont — si elles existent — des idées simples (par exemple les figures, les mouvements, etc.).

6ᵉ *étape* : Démonstration de la science, et preuve de l'existence des choses dont nous avons douté, et qu'elle étudie.

Descartes n'entreprend pas un recensement des résultats déjà acquis par la science, ce qui n'est pas l'objet des *Méditations*; il se sert cependant déjà de quelques conquêtes de sa science, mais ce n'est que pour poser d'une façon plus précise le problème de la connaissance et pour montrer qu'elle est possible (position du problème que Kant appellera « transcendantale », c'est-à-dire étude non des résultats de la connaissance, mais de sa possibilité). La distinction des substances (pensée, étendue) se traduit, en ce qui regarde l'homme, par la distinction entre l'esprit et le corps; il en résulte pour l'homme trois sortes de connaissances : la connaissance de la pensée, celle de l'étendue, celle de leur union, moins conçue qu'éprouvée, et connue, dit Descartes, par « les sens » (voir lettre à Elizabeth du 28 juin 1643). Ces considérations, précédées par des analyses qui renvoient au *Traité des passions de l'âme* (1649) et aux travaux médicaux de Descartes, éliminent définitivement le doute hyperbolique et les autres, comme « ridicules ». Cette étape renvoie à la Vᵉ partie du *Discours* et aux *Principes* (jusqu'au paragraphe 70). La lettre du 21 mai 1643, à la princesse Elizabeth, précise la question des idées innées et des natures simples. Voir aussi la réponse aux sixièmes objections.

En résumé, la « méthode » appliquée à la métaphysique donne les étapes suivantes :

1º *le doute*

contradictions des idées reçues	
illusions des sens	le douteux provoque
songes	le doute méthodique,
malin génie	puis hyperbolique;

2º *le « cogito »*, distinction entre substance pensante et étendue, la première étant « plus aisée à connaître que la seconde »;

3º *Dieu ;*

4º démonstration *de l'activité de l'esprit ;*

5º démonstration *des idées des choses* (principes de la géométrie);

6º démonstration *des choses et de la possibilité de la science*

La séparation de la métaphysique et de la physique. — Descartes affirme la distinction insurmontable des deux substances : esprit et matière. C'est ce qu'on appelle le dualisme de son système.

En réalité, comme tout dualisme, celui de Descartes ne peut soutenir la contradiction. Sur le plan métaphysique, il aboutit à l'idéalisme, et à un idéalisme très franc, qui pousse ses propres conséquences jusqu'à l'absurdité. C'est du « je pense, donc je suis » qu'il tire non seulement la réalité du monde extérieur, mais aussi l'existence de Dieu, qu'il déclare cause première des deux substances : l'étendue et la pensée. Reprenant la tradition mystique de Platon, il transforme sa réminiscence en théorie des idées innées. De plus, sa démonstration de l'existence de Dieu se fonde sur l'argument ontologique, et il utilise sans la moindre fausse honte les catégories médiévales de la « perfection » et de l' « éminence », qui déguisent, comme le montrera Kant, cette existence qu'il s'agit précisément de démontrer.

Sur le plan métaphysique, la démarche cartésienne renvoie à l'idéalisme classique et à ses trois postulats que définiront de façon exemplaire les *Dialogues d'Hylas et de Philonoüs*, de Berkeley (1703) : priorité de l'esprit sur la matière, non-existence du monde extérieur s'il n'est pas perçu, agnosticisme ou du moins relativisme. Mais il ne s'agit là que de métaphysique aussitôt que Descartes fait de la science, et on sait que c'est le plus souvent, tout se passe comme s'il oubliait complètement les postulats de sa métaphysique. Sa doctrine de la substance corporelle, du monde physique, est matérialiste : elle explique les phénomènes d'une façon strictement scientifique. Physiquement, l'homme n'est qu'un animal comme les autres. Notre corps n'est qu'un automate. Même nos émotions, que Descartes appelle « passions », dépendent des mouvements désordonnés du cœur, des agitations violentes des « esprits animaux ». (Voir la remarquable étude d'Henri Wallon sur la psychologie de Descartes, *La Pensée*, nº 32, pp. 11-21.)

C'est la profonde contradiction de la pensée cartésienne : il a séparé complètement sa physique de sa métaphysique. A l'intérieur de sa physique, la matière est l'unique substance, la raison unique de l'être et de la connaissance. Cette contradiction n'a pas échappé à ses contemporains. Il est intéressant de remarquer que la métaphysique de Descartes a eu, aussitôt, comme principal ennemi le matérialiste Gassendi, qui passe, on le sait, pour avoir été le professeur de Molière. Les cinquièmes réponses où Descartes s'explique contre Gassendi sont intéressantes. L'impertinence de Descartes comporte une certaine impatience : « De plus, quelle raison avez-vous de dire qu' « il n'était pas besoin d'un si grand appareil pour prouver mon existence » ? Certes, je pense avoir fort bonne raison de conjecturer de vos paroles mêmes que l'appareil dont je me suis servi n'a pas encore été assez grand, puisque je n'ai pu faire encore que vous comprissiez bien ma pensée ; car, quand vous dites que j'eusse pu conclure la même chose de chacune autre de mes actions indifféremment, vous vous méprenez bien fort parce qu'il n'y en a pas une de laquelle je sois entièrement certain, j'entends de cette certitude métaphysique de laquelle seule il est ici question, excepté la pensée. » Molière interrompt une tirade du Tartuffe pour expliquer au lecteur : « C'est un scélérat qui parle. » De même Descartes interrompt Gassendi pour lui rappeler que c'est « un métaphysicien qui parle ».

L'histoire des sciences nous a sans doute habitués à ce que nous pourrions appeler des « matérialistes honteux de l'être », savants qui, dans le cadre de leurs disciplines scientifiques, raisonnent en matérialistes, ne quittent pas la méthode expérimentale, mais qui, au-delà de leur domaine, oublient leurs propres règles et raisonnent en idéalistes philosophiques (au XIXᵉ siècle, Claude Bernard, Pasteur, par exemple). Mais il ne suffit pas de constater la contradiction de Descartes, il faut encore entrevoir l'explication. Pourquoi Descartes ne peut-il pas concevoir la possibilité de rendre compte des phénomènes de conscience supérieurs à partir des propriétés de la matière ? Précisément parce qu'il a adopté, en accord avec les conditions et les connaissances de son temps, un matérialisme mécaniste ; parce qu'il a commencé par supposer que tout mouvement se réduisait à des phénomènes de déplacement, de pression, de choc, de traction. Le matérialisme de Descartes, parce qu'il est mécaniste, aboutit à une contradiction, et voisine, sans aucune possibilité pour lui de résoudre la contradiction, avec un idéalisme passablement scolastique.

La métaphysique de Descartes, à cause précisément de cette contradiction, est encore « mélangée d'une substance positive profane ». Elle fait des découvertes en mathématiques, en physique et dans les autres sciences qui paraissaient de son ressort. On y trouve, mêlés, le moyen âge qui meurt et le dix-huitième siècle qui va naître.

Descartes et le moyen âge. Première postérité de Descartes.
— Nous ne développerons pas l'apport de la scolastique à la
métaphysique de Descartes. Nous avons signalé cet apport à plusieurs reprises à propos des idées innées, et surtout à propos de la
preuve ontologique : la terminologie médiévale (« éminemment »,
« perfection ») qui intervient expressément ne permet pas le moindre
doute. Cette philosophie des idées claires tolère certaines idées
obscures.

Est-ce là prudence, comme le suggère Sartre ? Peut-être. Mais,
comme nous l'avons dit, la science du temps, mécaniste, ne per-
mettait pas à Descartes de concevoir une explication correcte des
phénomènes de conscience en termes scientifiques. Descartes n'a
pu sur ce point dépasser les limites de vision de son époque.

C'est pourquoi, à mesure que le temps passe et que cette structure
sociale se modifie, on voit « s'affadir » la métaphysique qui se
réclame de lui. Ce grand équilibre entre métaphysique et science,
il est le dernier à pouvoir le maintenir : toute la richesse métaphysique se trouve « réduite aux êtres de raison et aux choses célestes,
juste au moment où les êtres réels et les choses terrestres absorbent
tout l'intérêt ». Dans un sens, les idéalistes du XIXe siècle et du XXe
qui se réclament de lui ont raison (Maine de Biran, Hamelin,
Bergson, Husserl), mais, comme leur pensée a perdu le contact
avec les sciences dans leur état le plus récent, les concepts qu'ils
soutirent à Descartes sont vidés de tout contenu. Ils sont cartésiens
comme Crébillon était racinien. Il faut également réserver le même
accueil aux innombrables « Descartes » que nous offrent les idéalistes
de notre temps ; ils l'expliquent en fonction d'une série de concepts
métaphysiques, sans souci de la science réelle, pratique, dont
Descartes était le créateur, le dépositaire et le défenseur. Ces
« Descartes travestis » constituent de véritables falsifications et
détournent l'attention de l'étudiant et du chercheur en général du
véritable Descartes, qui était un esprit novateur et révolutionnaire.

**La métaphysique de Descartes « profane et positive ». Seconde
postérité de Descartes.** — La force explosive de la méthode
cartésienne est si grande que même sa métaphysique contient des
aperçus profonds et novateurs. Nous en citerons deux exemples
particulièrement remarquables : sa théorie de la connaissance, et
sa théorie de la liberté (voir IVe Méditation).

1. *Théorie de la connaissance.* — Sans doute reprend-il à son
compte la distinction classique entre une volonté active infinie,
absolue, qui est à la mesure de Dieu, et un entendement passif,
fini, relatif, qui est à notre mesure. Son but, c'est d'éviter l'hérésie
qui consisterait à rejeter la responsabilité de l'erreur et du péché
vers Dieu.

Mais cette distinction est fertile en ce sens que la volonté, ou
adhésion, n'est pas conçue comme étant séparée de l'idée à laquelle

elle adhère. Ce qui revient à poser la possibilité d'un progrès de l'esprit, qui dépend de nos connaissances. Descartes ne commet pas l'erreur de nombreux logiciens, et ne confond pas l'hésitation et le doute, qui est la suspension de jugement devant un contenu mal éclairci. C'est parce que le contenu est mal éclairci que le jugement sera suspendu. Le jugement est en conséquence conçu comme synthétique, bien avant Kant, lequel n'aura pas trop de difficulté à démontrer, dans son fameux théorème (*Critique de la raison pure*, édit. Alcan, p. 238), que le « cogito », s'il pose l'existence de la pensée, pose en même temps celle du monde extérieur. Mais cette nuance est indiquée à plusieurs reprises chez Descartes lui-même. Le doute portant sur le monde extérieur et sur les vérités mathématiques est appelé « bien léger et pour ainsi dire métaphysique », et ailleurs « hyperbolique et ridicule ». Et enfin le fameux passage du morceau de cire (IIe Méditation), qui prétend montrer que toute action, tout objet même se réduit à la pensée, suppose l'existence (extérieure) du morceau de cire, c'est-à-dire prouve exactement le contraire de ce qu'il paraît vouloir démontrer. Ces remarques nous permettent de dégager un trait important de l'idéalisme cartésien. La démarche de Descartes, isolant le travail de l'esprit pour mieux l'étudier, est parfaitement légitime : c'est une opération nécessaire à toute recherche scientifique, et connue sous le nom d'abstraction ; elle a deux aspects : un aspect positif, qui consiste à isoler quelque chose que l'on se propose d'étudier (le verbe « abstraire » est transitif), et un aspect négatif, qui consiste à omettre provisoirement tout le reste.

Les difficultés commencent lorsque cette opération (l'abstraction) est considérée en elle-même, lorsqu'on regarde son résultat comme une réalité ayant un sens par elle-même, lorsqu'on transforme ce qui a été abstrait en Abstraction. La démarche devient alors illégitime, et nous retrouvons ici les objections de Kant, valables pour tout idéalisme, y compris le sien propre. (Voir sur ces points les remarquables analyses de H. Lefèvre dans son *Descartes*, Éditions sociales.)

2. *Théorie de la liberté.* — Descartes, suivant en cela la scolastique, se propose de sauver le « libre arbitre », mais il reconnaît en même temps que c'est « le plus bas degré de la liberté ». Quel est donc le plus haut ? Mais c'est évidemment le jugement vrai, parce que « d'une grande clarté qui était en mon entendement a suivi une grande inclination en ma volonté, et je suis porté à croire avec d'autant plus de liberté que je me suis trouvé avec moins d'indifférence » (IVe Méditation, p. 69). Ce qui revient à définir la liberté par la détermination, non celle d'une spontanéité bergsonienne, toute organique, mais celle de la connaissance du vrai. Descartes reste fidèle à la maxime de son maître Bacon qui affirmait que le seul moyen de commander à la nature, c'était de lui obéir, non pas certes aveuglément, mais en s'appliquant à connaître ses lois.

La connaissance est définie non plus comme identification à une essence, c'est-à-dire comme béatitude, mais comme action sur la nature. La liberté n'a de sens que définie, et c'est un problème qui ne se pose pas en général; il faut dire, suivant la formule célèbre : « Liberté de qui, liberté de quoi ? » Elle est libération; Descartes nous en accorde une du bout des lèvres, celle des théologiens (s'il ne l'avait pas accordée, il risquait les foudres du Saint Office), mais toute son œuvre en suppose une autre qui n'est pas acquise, mais qui sera le résultat d'une longue conquête sur le monde et sur nous-mêmes, et qui nous rendra « comme maîtres et possesseurs de la nature ».

C'est à cette liberté-là que fait allusion la fameuse formule : « Il suffit de bien juger pour bien faire », que l'on prend volontiers au sens littéral. Sans doute, on peut relever dans cette formule les traces de l'optimisme qui caractérisera le XVIIIe siècle, où l'on pensait que de bonnes lois pouvaient réformer les mœurs. Mais bien juger, pour Descartes, c'est juger à partir de la science, et la science comporte une action réelle sur le monde. L'illusion de Descartes apparaît dans le « il suffit »; mais ce que nous savons de la science cartésienne nous permet de penser que ce programme, tel du moins que notre philosophe le pressent, n'est pas si simple et qu'il n'est pas exempt de luttes réelles. D'ailleurs Descartes ne les a pas évitées. On voit de quel côté il faut chercher les véritables descendants de Descartes. Pour se borner au XVIIIe siècle, il nous mène directement, par l'intermédiaire de Fontenelle, aux grands rationalistes et aux grands révolutionnaires, Diderot, Helvétius, d'Holbach, d'Alembert, Voltaire, Montesquieu, Rousseau, Saint-Just, Marat, Robespierre, pour ne parler que de ceux-là.

A MESSIEURS LES DOYENS ET DOCTEURS
DE LA SACRÉE FACULTÉ DE THÉOLOGIE DE PARIS

MESSIEURS,

La raison qui me porte à vous présenter cet ouvrage est si juste, et quand vous en connaîtrez le dessein, je m'assure que vous en aurez aussi une si juste de le prendre en votre protection, que je pense ne pouvoir mieux faire, pour vous le rendre en quelque sorte recommandable, que de vous dire en peu de mots ce que je m'y suis proposé. J'ai toujours estimé que les deux questions de Dieu et de l'âme étaient les principales de celles qui doivent plutôt être démontrées par les raisons de la philosophie que de la théologie; car, bien qu'il nous suffise, à nous autres qui sommes fidèles, de croire par la foi qu'il y a un Dieu, et que l'âme humaine ne meurt point avec le corps, certainement il ne semble pas possible de pouvoir jamais persuader aux infidèles aucune religion, ni quasi même aucune vertu morale, si premièrement on ne leur prouve ces deux choses par raison naturelle[1] : et d'autant qu'on propose souvent en cette vie de plus grandes récompenses pour les vices que pour les vertus, peu de personnes préféreraient le juste à l'utile, si elles n'étaient retenues ni par la crainte de Dieu, ni par l'attente d'une autre vie : et quoiqu'il soit absolument vrai qu'il faut croire qu'il y a un Dieu, parce qu'il est ainsi enseigné dans les saintes Écritures, et d'autre part qu'il faut croire les saintes Écritures, parce qu'elles tiennent de Dieu (la raison de cela est que la foi étant un don de Dieu, celui-là même qui donne la grâce pour faire croire les autres choses la peut aussi donner pour faire croire qu'il existe), on ne saurait néanmoins proposer cela aux infidèles, qui pourraient s'imaginer que l'on commettrait en ceci la faute que les logiciens nomment un cercle[2].

Et de vrai j'ai pris garde que vous autres, messieurs, avec tous les théologiens, n'assuriez pas seulement que l'existence de Dieu se peut prouver par raison naturelle, mais aussi que l'on infère de la sainte Écriture que sa connaissance est beaucoup plus claire que celle que l'on a de plusieurs choses créées, et qu'en effet elle est si facile que ceux qui ne l'ont point sont coupables; comme il paraît par ces paroles de la Sagesse, chap. XIII, où il est dit que *leur igno-rance n'est point pardonnable; car si leur esprit a pénétré si avant*

---

1. C'est le projet du cardinal de Bérulle et la tendance générale du thomisme : accorder les vérités de la foi et celles de la raison; 2. Le diallèle.

*dans la connaissance des choses du monde, comment est-il possible
qu'ils n'en aient point reconnu plus facilement le souverain Seigneur ?*
et aux Romains, chap. I, il est dit qu'ils sont *inexcusables ;* et encore
au même endroit, par ces paroles, *Ce qui est connu de Dieu est
manifeste dans eux,* il semble que nous soyons avertis que tout ce
qui se peut savoir de Dieu peut être montré par des raisons qu'il
n'est pas besoin de tirer d'ailleurs que de nous-mêmes, et de la
simple considération de la nature de notre esprit. C'est pourquoi
j'ai cru qu'il ne serait pas contre le devoir d'un philosophe si je
faisais voir ici comment et par quelle voie nous pouvons, sans sortir
de nous-mêmes, connaître Dieu plus facilement et plus certainement que nous ne connaissons les choses du monde.

Et pour ce qui regarde l'âme, quoique plusieurs aient cru qu'il
n'est pas aisé d'en connaître la nature, et que quelques-uns aient
même osé dire que les raisons humaines nous persuadaient qu'elle
mourait avec le corps, et qu'il n'y avait que la seule foi qui nous
enseignât le contraire ; néanmoins, d'autant que le concile de Latran,
tenu sous Léon X, en la session 8, les condamne, et qu'il ordonne
expressément aux philosophes chrétiens de répondre à leurs arguments et d'employer toutes les forces de leur esprit pour faire
connaître la vérité, j'ai bien osé l'entreprendre dans cet écrit. De
plus, sachant que la principale raison qui fait que plusieurs impies
ne veulent point croire qu'il y a un Dieu, et que l'âme humaine
est distincte du corps, est qu'ils disent que personne jusqu'ici n'a
pu démontrer ces deux choses, quoique je ne sois point de leur
opinion, mais qu'au contraire je tienne que la plupart des raisons
qui ont été apportées par tant de grands personnages touchant ces
deux questions sont autant de démonstrations quand elles sont
bien entendues, et qu'il soit presque impossible d'en inventer de
nouvelles ; si est-ce que je crois qu'on ne saurait rien faire de plus
utile en la philosophie que d'en rechercher une fois avec soin les
meilleures, et les disposer en un ordre si clair et si exact qu'il
soit constant désormais à tout le monde que ce sont de véritables
démonstrations ; et enfin, d'autant que plusieurs personnes[1] ont
désiré cela de moi, qui ont connaissance que j'ai cultivé une certaine
méthode pour résoudre toutes sortes de difficultés dans les sciences,
méthode qui de vrai n'est pas nouvelle, n'y ayant rien de plus ancien
que la vérité, mais de laquelle ils savent que je me suis servi assez
heureusement en d'autres rencontres, j'ai pensé qu'il était de mon
devoir d'en faire aussi l'épreuve sur une matière si importante.

Or j'ai travaillé de tout mon possible pour comprendre dans ce
traité tout ce que j'ai pu découvrir par son moyen. Ce n'est pas
que j'aie ici ramassé toutes les diverses raisons qu'on pourrait
alléguer pour servir de preuve à un si grand sujet ; car je n'ai jamais
cru que cela fût nécessaire, sinon lorsqu'il n'y en a aucune qui soit

---

1. Allusion à la conversation de 1627, à l'occasion de la conférence du sieur de Chandoux.

certaine; mais seulement j'ai traité les premières et principales d'une telle manière, que j'ose bien les proposer pour de très évidentes et très certaines démonstrations. Et je dirai de plus qu'elles sont telles, que je ne pense pas qu'il y ait aucune voie[1] par où l'esprit humain en puisse jamais découvrir de meilleures; car l'importance du sujet et la gloire de Dieu, à laquelle tout ceci se rapporte, me contraignent de parler ici un peu plus librement de moi que je n'ai de coutume. Néanmoins, quelque certitude et évidence que je trouve en mes raisons, je ne puis pas me persuader que tout le monde soit capable de les entendre. Mais tout ainsi que dans la géométrie il y en a plusieurs qui nous ont été laissées par Archimède, par Apollonius, par Pappus et par plusieurs autres, qui sont reçues de tout le monde pour très certaines et très évidentes parce qu'elles ne contiennent rien qui, considéré séparément, ne soit très facile à connaître, et que partout les choses qui suivent ont une exacte liaison et dépendance avec celles qui les précèdent; néanmoins, parce qu'elles sont un peu longues et qu'elles demandent un esprit tout entier, elles ne sont comprises et entendues que de fort peu de personnes; de même, encore que j'estime que celles dont je me sers ici égalent ou même surpassent en certitude et évidence les démonstrations de géométrie, j'appréhende néanmoins qu'elles ne puissent pas être assez suffisamment entendues de plusieurs, tant parce qu'elles sont aussi un peu longues et dépendantes les unes des autres, que principalement parce qu'elles demandent un esprit entièrement libre de tous préjugés, et qui se puisse aisément détacher du commerce des sens. Et, à dire vrai, il ne s'en trouve pas tant dans le monde qui soient propres pour les spéculations de la métaphysique que pour celles de la géométrie. Et, de plus, il y a encore cette différence que, dans la géométrie, chacun étant prévenu de cette opinion qu'il ne s'y avance rien dont on n'ait une démonstration certaine, ceux qui n'y sont pas entièrement versés pèchent bien plus souvent en approuvant de fausses démonstrations, pour faire croire qu'ils les entendent, qu'en réfutant les véritables. Il n'en est pas de même dans la philosophie, où chacun croyant que tout y est problématique, peu de personnes s'adonnent à la recherche de la vérité; et même beaucoup, se voulant acquérir la réputation d'esprits forts, ne s'étudient à autre chose qu'à combattre avec arrogance les vérités les plus apparentes.

C'est pourquoi, messieurs, quelque force que puissent avoir mes raisons, parce qu'elles appartiennent à la philosophie, je n'espère pas qu'elles fassent un grand effet sur les esprits, si vous ne les prenez en votre protection. Mais l'estime que tout le monde fait de votre compagnie étant si grande et le nom de Sorbonne d'une telle autorité que, non seulement en ce qui concerne la foi, après les sacrés conciles, on n'a jamais tant déféré au jugement d'aucune

1. Car la nouveauté des arguments de Descartes concerne la voie choisie, c'est-à-dire la méthode.

autre compagnie, mais aussi en ce qui regarde l'humaine philosophie, chacun croyant qu'il n'est pas possible de trouver ailleurs
plus de solidité et de connaissance, ni plus de prudence et d'inté-
grité pour donner son jugement, je ne doute point, si vous daignez
prendre tant de soin de cet écrit que de vouloir premièrement le
corriger (car ayant connaissance non seulement de mon infirmité,
mais aussi de mon ignorance, je n'oserais pas assurer qu'il n'y ait
aucunes erreurs), puis après y ajouter les choses qui y manquent,
achever celles qui ne sont pas parfaites, et prendre vous-mêmes la
peine de donner une explication plus ample à celles qui en ont
besoin, ou du moins de m'en avertir afin que j'y travaille[1] ; et enfin,
après que les raisons par lesquelles je prouve qu'il y a un Dieu et
que l'âme humaine diffère d'avec le corps auront été portées
jusques à ce point de clarté et d'évidence où je m'assure qu'on
les peut conduire, qu'elles devront être tenues pour de très exactes
démonstrations, si vous daignez les autoriser de votre approbation
et rendre un témoignage public de leur vérité et certitude, je ne
doute point, dis-je, qu'après cela toutes les erreurs et fausses opinions qui ont jamais été touchant ces deux questions ne soient
bientôt effacées de l'esprit des hommes. Car la vérité fera que tous
les doctes et gens d'esprit souscriront à votre jugement et votre
autorité, que les athées, qui sont pour l'ordinaire plus arrogants
que doctes et judicieux, se dépouilleront de leur esprit de contradiction, ou que peut-être ils défendront eux-mêmes les raisons
qu'ils verront être reçues par toutes les personnes d'esprit pour des
démonstrations, de peur de paraître n'en avoir pas l'intelligence ;
et enfin tous les autres se rendront aisément à tant de témoignages,
et il n'y aura plus personne qui ose douter de l'existence de Dieu,
et de la distinction réelle et véritable de l'âme humaine avec le
corps[2].

C'est à vous maintenant à juger du fruit qui reviendrait de cette
créance si elle était une fois bien établie, vous qui voyez les désordres
que son doute produit ; mais je n'aurais pas ici bonne grâce de
recommander davantage la cause de Dieu et de la religion à ceux
qui en ont toujours été les plus fermes colonnes.

---

1. C'est le sens des objections et des réponses de Descartes ; **2.** La démonstration de l'existence de Dieu ne peut se faire qu'à partir du « cogito » et de l'idée du parfait, c'est-à-dire se
ramène toujours à l'argument ontologique qui n'a de sens que dans un idéalisme. (Cf. Kant,
passages cités, voir Notice, p. 10.)

PRÉFACE

J'ai déjà touché ces deux questions de Dieu et de l'âme humaine dans le Discours français que je mis en lumière en l'année 1637[1], touchant la méthode pour bien conduire sa raison et chercher la vérité dans les sciences, non pas à dessein d'en traiter alors à fond, mais seulement comme en passant, afin d'apprendre, par le jugement qu'on en ferait, de quelle sorte j'en devrais traiter par après; car elles m'ont toujours semblé être d'une telle importance que je jugeais qu'il était à propos d'en parler plus d'une fois; et le chemin que je tiens pour les expliquer est si peu battu et si éloigné de la route ordinaire, que je n'ai pas cru qu'il fût utile de le montrer en français et dans un discours qui pût être lu de tout le monde, de peur que les faibles esprits ne crussent qu'il leur fût permis de tenter cette voie.

Or, ayant prié dans ce *Discours de la Méthode* tous ceux qui auraient trouvé dans mes écrits quelque chose digne de censure de me faire la faveur de m'en avertir, on ne m'a rien objecté de remarquable que deux choses sur ce que j'avais dit touchant ces deux questions, auxquelles je veux répondre ici en peu de mots avant que d'entreprendre leur explication plus exacte.

La première est qu'il ne s'ensuit pas de ce que l'esprit humain, faisant réflexion sur soi-même, ne se connaît être autre chose qu'une chose qui pense, que sa nature ou son essence ne soit seulement que de penser; en telle sorte que ce mot *seulement* exclue toutes les autres choses qu'on pourrait peut-être aussi dire appartenir à la nature de l'âme[2].

A laquelle objection je réponds que ce n'a point aussi été en ce lieu-là mon intention de les exclure selon l'ordre de la vérité de la chose (de laquelle je ne traitais pas alors), mais seulement selon l'ordre de ma pensée; si bien que mon sens était que je ne connaissais rien que je susse appartenir à mon essence, sinon que j'étais une chose qui pense, ou une chose qui a en soi la faculté de penser. Or je ferai voir ci-après comment, de ce que je ne connais rien autre chose qui appartienne à mon essence, il s'ensuit qu'il n'y a aussi rien autre chose qui en effet lui appartienne.

La seconde est qu'il ne s'ensuit pas, de ce que j'ai en moi l'idée d'une chose plus parfaite que je ne suis, que cette idée soit plus

---

1. Cf. *Discours de la méthode* (édit. Larousse, IVᵉ partie); **2.** Ce sera aussi la critique de Gassendi. La réponse de Descartes (réponses aux 5ᵉ et 6ᵉ objections) sera que, dans un ordre métaphysique, il ne cherche qu'une certitude métaphysique.

parfaite que moi, et beaucoup moins que ce qui est représenté par cette idée existe.

Mais je réponds que dans ce mot d'*idée* il y a ici de l'équivoque; car, ou il peut être pris matériellement pour une opération de mon entendement, et en ce sens on ne peut pas dire qu'elle soit plus parfaite que moi; ou il peut être pris objectivement pour la chose qui est représentée par cette opération, laquelle, quoiqu'on ne suppose point qu'elle existe hors de mon entendement, peut néanmoins être plus parfaite que moi, à raison de mon essence. Or, dans la suite de ce traité, je ferai voir plus amplement comment de cela seulement que j'ai en moi l'idée d'une chose plus parfaite que moi, il s'ensuit que cette chose existe véritablement[1].

De plus, j'ai vu aussi deux autres écrits assez amples sur cette matière, mais qui ne combattaient pas tant mes raisons que mes conclusions, et ce par des arguments tirés des lieux communs des athées. Mais parce que ces sortes d'arguments ne peuvent faire aucune impression dans l'esprit de ceux qui entendront bien mes raisons, et que les jugements de plusieurs sont si faibles et si peu raisonnables qu'ils se laissent bien plus souvent persuader par les premières opinions qu'ils auront eues d'une chose, pour fausses et éloignées de la raison qu'elles puissent être, que par une solide et véritable, mais postérieurement entendue, réfutation de leurs opinions, je ne veux point ici y répondre, de peur d'être premièrement obligé de les rapporter.

Je dirai seulement en général que tout ce que disent les athées pour combattre l'existence de Dieu dépend toujours, ou de ce que l'on feint dans Dieu des affections humaines, ou de ce qu'on attribue à nos esprits tant de force et de sagesse que nous avons bien la présomption de vouloir déterminer et comprendre ce que Dieu peut et doit faire; de sorte que tout ce qu'ils disent ne nous donnera aucune difficulté, pourvu seulement que nous nous ressouvenions que nous devons considérer nos esprits comme des choses finies et limitées, et Dieu comme un être infini et incompréhensible.

Maintenant, après avoir suffisamment reconnu les sentiments des hommes, j'entreprends derechef de traiter de Dieu et de l'âme humaine, et ensemble de jeter les fondements de la philosophie première; mais sans en attendre aucune louange du vulgaire, ni espérer que mon livre soit vu de plusieurs. Au contraire, je ne conseillerai jamais à personne de le lire, sinon ceux qui voudront avec moi méditer sérieusement, et qui pourront détacher leur esprit du commerce des sens et le délivrer entièrement de toutes sortes de préjugés, lesquels je ne sais que trop être en fort petit nombre. Mais pour ceux qui, sans se soucier beaucoup de l'ordre et de la liaison de mes raisons, s'amuseront à épiloguer sur chacune des

---

1. C'est la critique de l'argument ontologique: Descartes y répond, dans la IIIe Méditation, par son développement sur la vérité objective, où il réintroduit les concepts habituels de l'idéalisme: perfection, valeur éminente, etc. (Voir Notice, p. 14.)

parties, comme font plusieurs, ceux-là, dis-je, ne feront pas grand profit de la lecture de ce traité ; et bien que peut-être ils trouvent occasion de pointiller en plusieurs lieux, à grand'peine pourront-ils objecter rien de pressant, ou qui soit digne de réponse[1].

Et d'autant que je ne promets pas aux autres de les satisfaire de prime abord, et que je ne présume pas tant de moi que de croire pouvoir prévoir tout ce qui pourra faire de la difficulté à chacun, j'exposerai premièrement dans ces Méditations les mêmes pensées par lesquelles je me persuade être parvenu à une certaine et évidente connaissance de la vérité, afin de voir si, par les mêmes raisons qui m'ont persuadé, je pourrai aussi en persuader d'autres ; et après cela je répondrai aux objections qui m'ont été faites par des personnes d'esprit et de doctrine, à qui j'avais envoyé mes Méditations pour être examinées avant que de les mettre sous la presse ; car ils m'en ont fait un si grand nombre et de si différentes, que j'ose bien me promettre qu'il sera difficile à un autre d'en proposer aucunes qui soient de conséquence, qui n'aient point été touchées.

C'est pourquoi je supplie ceux qui désireront lire ces Méditations, de n'en former aucun jugement que premièrement ils ne se soient donné la peine de lire toutes ces objections, et les réponses que j'y ai faites[2].

---

1. Descartes insiste sur l'idée que les *Méditations* exigent un effort d'ensemble, ce qui se comprend aisément, car c'est l'application de sa méthode au problème des fondements, qui sans doute se décompose en une série de questions, mais dont on perd de vue le sens si l'on oublie que c'est toujours le même problème métaphysique ; **2.** Même pour un lycéen, la lecture des objections et des réponses de Descartes reste très instructive : les premières objections sont de Caterus ; les secondes, recueillies par le P. Mersenne, émanent de divers théologiens ; les troisièmes sont de Hobbes ; les quatrièmes d'Arnauld ; les cinquièmes, qui sont peut-être les plus importantes, de Gassendi ; etc.

ABRÉGÉ[1] DES SIX MÉDITATIONS SUIVANTES

Dans la première, je mets en avant les raisons pour lesquelles nous pouvons douter généralement de toutes choses, et particulièrement des choses matérielles, au moins tant que nous n'aurons point d'autres fondements dans les sciences que ceux que nous avons eus jusqu'à présent. Or, bien que l'utilité d'un doute si général ne paraisse pas d'abord, elle est toutefois en cela très grande, qu'il nous délivre de toutes sortes de préjugés, et nous prépare un chemin très facile pour accoutumer notre esprit à se détacher des sens, et enfin en ce qu'il fait qu'il n'est pas possible que nous puissions jamais plus douter des choses que nous découvrirons par après être véritables.

Dans la seconde, l'esprit qui, usant de sa propre liberté, suppose que toutes les choses ne sont point, de l'existence desquelles il a le moindre doute, reconnaît qu'il est absolument impossible que cependant il n'existe pas lui-même. Ce qui est aussi d'une très grande utilité, d'autant que par ce moyen il fait aisément distinction des choses qui lui appartiennent, c'est-à-dire à la nature intellectuelle, et de celles qui appartiennent au corps.

Mais parce qu'il peut arriver que quelques-uns attendront de moi en ce lieu-là des raisons pour prouver l'immortalité de l'âme[2], j'estime les devoir ici avertir qu'ayant tâché de ne rien écrire dans tout ce traité dont je n'eusse des démonstrations très exactes, je me suis vu obligé de suivre un ordre semblable à celui dont se servent les géomètres, qui est d'avancer premièrement toutes les choses desquelles dépend la proposition que l'on cherche, avant que d'en rien conclure.

Or la première et principale chose qui est requise pour bien connaître l'immortalité de l'âme est d'en former une conception claire et nette, et entièrement distincte de toutes les conceptions que l'on peut avoir du corps, ce qui a été fait en ce lieu-là. Il est

---

1. On remarquera qu'il s'agit moins d'un « abrégé » que d'un schéma; **2.** Descartes suit l'ordre des raisons « more geometrico ». Il dénonce la concession qui consisterait à démontrer, ou à paraître démontrer, une proposition sans disposer des éléments assurant à cette démonstration une réelle rigueur. Ainsi la démonstration de l'immortalité de l'âme exige une position claire de la théorie de la connaissance (IVe Méditation), une position claire du monde extérieur, dont l'âme est séparée (IIe, Ve et VIe Méditations) et une théorie de l'union de l'âme et du corps (VIe Méditation).

requis, outre cela, de savoir que toutes les choses que nous concevons clairement et distinctement sont vraies, de la façon que nous
les concevons, ce qui n'a pu être prouvé avant la quatrième Méditation. De plus, il faut avoir une conception distincte de la nature
corporelle, laquelle se forme partie dans cette seconde, et partie
dans la cinquième et la sixième Méditation. Et enfin l'on doit
conclure de tout cela que les choses que l'on conçoit clairement et
distinctement être des substances diverses, ainsi que l'on conçoit
l'esprit et le corps, sont en effet des substances réellement distinctes
les unes des autres, et c'est ce que l'on conclut dans la sixième
Méditation ; ce qui se confirme encore dans cette même Méditation
de ce que nous ne concevons aucun corps que comme divisible,
au lieu que l'esprit ou l'âme de l'homme ne se peut concevoir que
comme indivisible ; car en effet nous ne saurions concevoir la
moitié d'aucune âme, comme nous pouvons faire du plus petit de
tous les corps, en sorte que l'on reconnaît que leurs natures ne
sont pas seulement diverses, mais même en quelque façon contraires. Or je n'ai pas traité plus avant de cette matière dans cet
écrit, tant parce que cela suffit pour montrer assez clairement que
de la corruption du corps la mort de l'âme ne s'ensuit pas, et ainsi
pour donner aux hommes l'espérance d'une seconde vie après la
mort, comme aussi parce que les prémisses desquelles on peut
conclure l'immortalité de l'âme dépendent de l'explication de toute
la physique : premièrement, pour savoir que généralement toutes
les substances, c'est-à-dire toutes les choses qui ne peuvent exister
sans être créées de Dieu, sont de leur nature incorruptibles, et
qu'elles ne peuvent jamais cesser d'être, si Dieu même, en leur
déniant son concours, ne les réduit au néant[1], et ensuite pour remarquer que le corps pris en général est une substance, c'est pourquoi
aussi il ne périt point ; mais que le corps humain, en tant qu'il
diffère des autres corps, n'est composé que d'une certaine configuration de membres et d'autres semblables accidents là où l'âme
humaine n'est point ainsi composée d'aucuns accidents, mais est
une pure substance. Car encore que tous ses accidents se changent,
par exemple encore qu'elle conçoive de certaines choses, qu'elle
en veuille d'autres et qu'elle en sente d'autres, etc., l'âme pourtant
ne devient point autre, au lieu que le corps humain devient une
autre chose, de cela seul que la figure de quelques-unes de ses
parties se trouve changée[2] : d'où il s'ensuit que le corps humain
peut bien facilement périr, mais que l'esprit ou l'âme de l'homme
(ce que je ne distingue point) est immortelle de sa nature.

---

1. En dépit des interprétations existentialistes (voir, par exemple, la préface de la *Phénoménologie de la perception*, de M. Merleau-Ponty), ce mot, chez Descartes, est synonyme de
« rien » et n'a aucune valeur positive ; 2. Rappel de la théorie cartésienne de la figure et du
mouvement.

Dans la troisième Méditation, j'ai, ce me semble, expliqué assez au long le principal argument dont je me sers pour prouver l'existence de Dieu. Mais néanmoins, parce que je n'ai point voulu me servir en ce lieu-là d'aucunes comparaisons tirées des choses corporelles[1], afin d'éloigner autant que je pourrais les esprits des lecteurs de l'usage et du commerce des sens, peut-être y est-il resté beaucoup d'obscurités (lesquelles, comme j'espère, seront entièrement éclaircies dans les réponses que j'ai faites aux objections qui m'ont depuis été proposées), comme entre autres celle-ci : Comment l'idée d'un être souverainement parfait, laquelle se trouve en nous, contient tant de réalité objective, c'est-à-dire participe par représentation à tant de degrés d'être et de perfection qu'elle doit venir d'une cause souverainement parfaite ; ce que j'ai éclairci dans ces réponses par la comparaison d'une machine fort ingénieuse et artificielle dont l'idée se rencontre dans l'esprit de quelque ouvrier ; car, comme l'artifice objectif de cette idée doit avoir quelque cause, savoir est : ou la science de cet ouvrier, ou celle de quelque autre de qui il ait reçu cette idée, de même il est impossible que l'idée de Dieu, qui est en nous, n'ait pas Dieu même pour sa cause[2].

Dans la quatrième, il est prouvé que toutes les choses que nous concevons fort clairement et fort distinctement sont toutes vraies, et ensemble est expliqué en quoi consiste la nature de l'erreur ou fausseté ; ce qui doit nécessairement être su, tant pour confirmer les vérités précédentes que pour mieux entendre celles qui suivent. Mais cependant il est à remarquer que je ne traite nullement en ce lieu-là du péché[3], c'est-à-dire de l'erreur qui se commet dans la poursuite du bien et du mal, mais seulement de celle qui arrive dans le jugement et le discernement du vrai et du faux, et que je n'entends point y parler des choses qui appartiennent à la foi ou à la conduite de la vie, mais seulement de celles qui regardent les vérités spéculatives, et qui peuvent être connues par l'aide de la seule lumière naturelle.

Dans la cinquième Méditation, outre que la nature corporelle prise en général[4] y est aussi expliquée, l'essence de Dieu y est encore démontrée par une nouvelle raison, dans laquelle néanmoins peut-être s'en rencontrera-t-il aussi quelques difficultés ; mais on en verra

---

1. Qui ne sont pas encore démontrées et qui le seront dans les Ve et VIe Méditations ; 2. Voir *Critique de Kant*, Notice, p. 10 ; 3. Le péché est en effet la question brûlante. Descartes se sait « guetté » par les théologiens sur ce point : « Dieu est-il responsable du péché ? » La théorie de la connaissance de Descartes attribue l'erreur (donc le péché) à une inadéquation entre volonté et entendement fini, donc paraît l'attribuer à l'homme et innocenter Dieu. Malebranche s'est aussi appliqué à trouver une solution à ce problème épineux. Voir la thèse de Gouhier sur Malebranche ; 4. *En général* : dans ses principes.

la solution dans les réponses aux objections qui m'ont été faites, et de plus je fais voir de quelle façon il est véritable que, de la certitude même des démonstrations géométriques, dépend la connaissance de Dieu.

———————

Enfin dans la sixième, je distingue l'action de l'entendement d'avec celle de l'imagination; les marques de cette distinction y sont décrites; j'y montre que l'âme de l'homme est réellement distincte du corps, et toutefois qu'elle lui est si étroitement conjointe et unie qu'elle ne compose que comme une même chose avec lui[1]. Toutes les erreurs qui procèdent des sens y sont exposées, avec les moyens de les éviter; et enfin j'y apporte toutes les raisons desquelles on peut conclure l'existence des choses matérielles : non que je les juge fort utiles pour prouver ce qu'elles prouvent, à savoir, qu'il y a un monde, que les hommes ont des corps, et autres choses sem-blables qui n'ont jamais été mises en doute par aucun homme de bon sens; mais parce qu'en les considérant de près l'on vient à connaître qu'elles ne sont pas si fermes ni si évidentes que celles qui nous conduisent à la connaissance de Dieu et de notre âme, en sorte que celles-ci sont les plus certaines et les plus évidentes qui puissent tomber en la connaissance de l'esprit humain, et c'est tout ce que j'ai eu dessein de prouver dans ces six Méditations; ce qui fait que j'omets ici beaucoup d'autres questions dont j'ai aussi parlé par occasion dans ce traité.

1. Théorie de l'union de l'âme et du corps.

———————

La maison de Descartes à Amsterdam.

MÉDITATIONS

TOUCHANT LA PHILOSOPHIE PREMIÈRE

dans lesquelles on prouve clairement l'existence de Dieu
et la distinction réelle entre l'âme et le corps de l'homme.[1]

PREMIÈRE MÉDITATION

DES CHOSES QUE L'ON PEUT RÉVOQUER EN DOUTE

Ce n'est pas d'aujourd'hui que je me suis aperçu que, dès mes premières années, j'ai reçu quantité de fausses opinions pour véritables[2], et que ce que j'ai depuis fondé sur des principes si mal assurés ne saurait être que fort douteux et incertain; et dès lors j'ai bien jugé qu'il me fallait entreprendre sérieusement une fois dans ma vie de me défaire de toutes les opinions que j'avais reçues auparavant en ma créance, et commencer tout de nouveau dès les fondements, si je voulais établir quelque chose de ferme et de constant dans les sciences. Mais cette entreprise me semblant être fort grande, j'ai attendu que j'eusse atteint un âge qui fût si mûr que je n'en pusse espérer d'autre après lui auquel je fusse plus propre à l'exécuter; ce qui m'a fait différer si longtemps que désormais je croirais commettre une faute, si j'employais encore à délibérer le temps qui me reste pour agir. Aujourd'hui donc que, fort à propos pour ce dessein, j'ai délivré mon esprit de toutes sortes de soins, que par bonheur je ne me sens agité d'aucunes passions, et que je me suis procuré un repos assuré dans une paisible solitude[3], je m'appliquerai ·sérieusement et avec liberté à détruire généralement toutes mes anciennes opinions. Or, pour cet effet, il ne sera pas nécessaire que je montre qu'elles sont toutes fausses, de quoi peut-être je ne viendrais jamais à bout. Mais, d'autant que la raison me persuade déjà que je ne dois pas moins soigneusement m'empêcher de donner

---

1. C'est le titre de l'édition Elzévir (1642, Amsterdam). Chez Soly (1641, Paris), les *Méditations* s'intitulaient : « Méditations sur la philosophie première, dans laquelle est démontrée l'existence de Dieu et l'immortalité de l'âme »; 2. Les contradictions des dogmatismes philosophiques; 3. La Hollande, la solitude au milieu d'une population commerçante, la bourgeoisie la plus avancée d'Europe. Ce que Descartes appelle « passion », c'est le contraire de l'action (de l'esprit), c'est la passivité de l'erreur en même temps que la passion dans le sens actuel.

créance aux choses qui ne sont pas entièrement certaines et indubitables qu'à celles qui me paraissent manifestement être fausses, ce me sera assez pour les rejeter toutes, si je puis trouver en chacune quelque raison de douter. Et pour cela il ne sera pas aussi besoin que je les examine chacune en particulier, ce qui serait d'un travail infini; mais, parce que la ruine des fondements entraîne nécessairement avec soi tout le reste de l'édifice, je m'attaquerai d'abord aux principes sur lesquels toutes mes anciennes opinions étaient appuyées[1].

Tout ce que j'ai reçu jusqu'à présent pour le plus vrai et assuré, je l'ai appris des sens ou par les sens; or j'ai quelquefois éprouvé que ces sens étaient trompeurs, et il est de la prudence de ne se fier jamais entièrement à ceux qui nous ont une fois trompés.

Mais peut-être qu'encore que les sens nous trompent quelquefois touchant des choses fort peu sensibles et fort éloignées, il s'en rencontre néanmoins beaucoup d'autres desquelles on ne peut pas raisonnablement douter, quoique nous les connaissions par leur moyen, par exemple, que je suis ici, assis auprès du feu, vêtu d'une robe de chambre, ayant ce papier entre les mains, et autres choses de cette nature. Et comment est-ce que je pourrais nier que ces mains et ce corps soient à moi? si ce n'est peut-être que je me compare à certains insensés, de qui le cerveau est tellement troublé et offusqué par les noires vapeurs de la bile, qu'ils assurent constamment qu'ils sont des rois, lorsqu'ils sont très pauvres; qu'ils sont vêtus d'or et de pourpre, lorsqu'ils sont tout nus, ou qui s'imaginent être des cruches ou avoir un corps de verre[2]. Mais quoi! ce sont des fous, et je ne serais pas moins extravagant si je me réglais sur leurs exemples.

Toutefois j'ai ici à considérer que je suis homme, et par conséquent que j'ai coutume de dormir et de me représenter en mes songes les mêmes choses, ou quelquefois de moins vraisemblables que ces insensés lorsqu'ils veillent. Combien de fois m'est-il arrivé de songer la nuit que j'étais en ce lieu, que j'étais habillé, que j'étais auprès du feu, quoique je fusse tout nu dedans mon lit! Il me semble bien à présent

---

1. Voilà pourquoi le problème central en philosophie reste celui de la méthode (voir *Discours*, édit. Larousse); **2.** Argument habituel de la philosophie sceptique, repris de façon dramatique par Calderon : *La vie est un songe*, traduction d'A. Arnoux (Grasset).

que ce n'est point avec des yeux endormis que je regarde ce papier; que cette tête que je branle n'est point assoupie; que c'est avec dessein et de propos délibéré que j'étends cette main et que je la sens : ce qui arrive dans le sommeil ne semble point si clair ni si distinct que tout ceci. Mais en y pensant soigneusement, je me ressouviens d'avoir souvent été trompé en dormant par de semblables illusions; et en m'arrêtant sur cette pensée, je vois si manifestement qu'il n'y a point d'indices certains par où l'on puisse distinguer nettement la veille d'avec le sommeil, que j'en suis tout étonné; et mon étonnement est tel qu'il est presque capable de me persuader que je dors[1].

Supposons donc maintenant que nous sommes endormis, et que toutes ces particularités, à savoir que nous ouvrons les yeux, que nous branlons la tête, que nous étendons les mains, et choses semblables, ne sont que de fausses illusions; et pensons que peut-être nos mains ni tout notre corps ne sont pas tels que nous les voyons. Toutefois il faut au moins avouer que les choses qui nous sont représentées dans le sommeil sont comme des tableaux et des peintures qui ne peuvent être formés qu'à la ressemblance de quelque chose de réel et de véritable, et qu'ainsi, pour le moins, ces choses générales, à savoir des yeux, une tête, des mains et tout un corps, ne sont pas choses imaginaires, mais réelles et existantes. Car de vrai les peintres, lors même qu'ils s'étudient avec le plus d'artifice à représenter des sirènes et des satyres par des figures bizarres et extraordinaires, ne peuvent toutefois leur donner des formes et des natures entièrement nouvelles, mais font seulement un certain mélange et composition des membres de divers animaux; ou bien si peut-être leur imagination est assez extravagante pour inventer quelque chose de si nouveau que jamais on n'ait rien vu de semblable, et qu'ainsi leur ouvrage représente une chose purement feinte et absolument fausse, certes à tout le moins les couleurs dont ils les composent doivent-elles être véritables[2].

---

1. Dans la VIe Méditation, Descartes se moquera de cet argument. Pourtant il est utilisé ici de façon méthodique et déjà hyperbolique; **2.** Descartes assimile deux idées qu'il distinguera avec soin (IIIe Méditation) : les idées fictives et composées (le cheval ailé), et les idées vraies et simples (le cheval, l'aile). Il en tire une distinction entre les sciences composées (physique, astronomie, médecine, par exemple), dont il convient de douter sans autre forme de procès, et les sciences simples, c'est-à-dire traitant de vérités et de principes simples, sur lesquels un doute est plus difficile.

Et par la même raison, encore que ces choses générales, à savoir un corps, des yeux, une tête, des mains, et autres semblables, pussent être imaginaires, toutefois il faut nécessairement avouer qu'il y en a au moins quelques autres encore plus simples et plus universelles qui sont vraies et existantes, du mélange desquelles, ni plus ni moins que celui de quelques véritables couleurs, toutes ces images des choses qui résident en notre pensée, soit vraies et réelles, soit feintes et fantastiques, sont formées.

De ce genre de choses est la nature corporelle en général et son étendue, ensemble la figure des choses étendues, leur quantité ou grandeur, et leur nombre, comme aussi le lieu où elles sont, le temps qui mesure leur durée, et autres semblables. C'est pourquoi peut-être que de là nous ne conclurons pas mal si nous disons que la physique, l'astronomie, la médecine, et toutes les autres sciences qui dépendent de la considération des choses composées, sont fort douteuses et incertaines, mais que l'arithmétique, la géométrie, et les autres sciences de cette nature qui ne traitent que de choses fort simples et fort générales, sans se mettre beaucoup en peine si elles sont dans la nature ou si elles n'y sont pas, contiennent quelque chose de certain et d'indubitable; car soit que je veille ou que je dorme, deux et trois joints ensemble formeront toujours le nombre de cinq, et le carré n'aura jamais plus de quatre côtés; et il ne semble pas possible que des vérités si claires et si apparentes puissent être soupçonnées d'aucune fausseté ou d'incertitude.

Toutefois il y a longtemps que j'ai dans mon esprit une certaine opinion qu'il y a un Dieu qui peut tout, et par qui j'ai été fait et créé tel que je suis. Or que sais-je s'il n'a point fait qu'il n'y ait aucune terre, aucun ciel, aucun corps étendu, aucune figure, aucune grandeur, aucun lieu, et que néanmoins j'aie les sentiments de toutes ces choses, et que tout cela ne me semble point exister autrement que je le vois? Et même, comme je juge quelquefois que les autres se trompent dans les choses qu'ils pensent le mieux savoir, que sais-je s'il n'a point fait que je me trompe[1] aussi toutes les fois que je fais l'addition de deux et de trois, ou que je nombre les côtés d'un carré, ou que je juge de quelque

---

1. La malignité de ce « génie » ne viendra pas du fait qu'il nous trompera sans cesse, mais qu'il nous trompera et nous dira alternativement la vérité sans jamais nous prévenir. Pour donner une idée de la fiction du malin génie, Descartes invoque les intermittences de la mémoire.

chose encore plus facile, si l'on se peut imaginer rien de plus facile que cela ? Mais peut-être que Dieu n'a pas voulu que je fusse déçu de la sorte, car il est dit souverainement bon. Toutefois si cela répugnait à sa bonté de m'avoir fait tel que je me trompasse toujours, cela semblerait aussi lui être contraire de permettre que je me trompe quelquefois, et néanmoins je ne puis douter qu'il ne le permette. Il y aura peut-être ici des personnes qui aimeraient mieux nier l'existence d'un Dieu si puissant, que de croire que toutes les autres choses sont incertaines. Mais ne leur résistons pas pour le présent, et supposons en leur faveur que tout ce qui est dit ici d'un Dieu soit une fable ; toutefois, de quelque façon qu'ils supposent que je sois parvenu à l'état et à l'être que je possède, soit qu'ils l'attribuent à quelque destin ou fatalité, soit qu'ils le réfèrent au hasard, soit qu'ils veuillent que ce soit par une continuelle suite et liaison des choses, ou enfin par quelque autre manière ; puisque faillir et se tromper est une imperfection, d'autant moins puissant sera l'auteur qu'ils assigneront à mon origine, d'autant plus sera-t-il probable que je suis tellement imparfait que je me trompe toujours. Auxquelles raisons je n'ai certes rien à répondre ; mais enfin je suis contraint d'avouer qu'il n'y a rien de tout ce que je croyais autrefois être véritable dont je ne puisse en quelque façon douter ; et non point par inconsidération ou légèreté, mais pour des raisons très fortes et mûrement considérées ; de sorte que désormais je ne dois pas moins soigneusement m'empêcher d'y donner créance qu'à ce qui serait manifestement faux, si je veux trouver quelque chose de certain et d'assuré dans les sciences.

Mais il ne suffit pas d'avoir fait ces remarques, il faut encore que je prenne soin de m'en souvenir ; car ces anciennes et ordinaires opinions me reviennent encore souvent en la pensée, le long et familier usage qu'elles ont eu avec moi leur donnant droit d'occuper mon esprit contre mon gré, et de se rendre presque maîtresses de ma créance ; et je ne me désaccoutumerai jamais de leur déférer, et de prendre confiance en elles tant que je les considérerai telles qu'elles sont en effet, c'est-à-dire en quelque façon douteuses, comme je viens de montrer, et toutefois fort probables, en sorte que l'on a beaucoup plus de raison de les croire que de les nier. C'est pourquoi je pense que je ne ferai pas mal si, prenant de propos délibéré un sentiment contraire, je me trompe moi-même, et si je feins pour quelque temps que toutes ces opinions sont entièrement fausses et imaginaires, jusqu'à ce qu'enfin, ayant tellement balancé mes anciens et mes nouveaux préjugés qu'ils ne puissent faire pencher mon avis plus d'un côté que d'un autre, mon jugement ne soit plus désormais maîtrisé par de mauvais usages, et détourné du droit chemin qui le peut conduire à la connaissance de la vérité. Car je suis assuré qu'il ne peut y avoir de péril ni d'erreur en cette voie, et que je ne saurais aujourd'hui trop accorder à ma défiance, puisqu'il n'est pas maintenant question d'agir, mais seulement de méditer et de connaître.

Je supposerai donc, non pas que Dieu, qui est très bon et qui est la souveraine source de vérité, mais qu'un certain mauvais génie[1], non moins rusé et trompeur que puissant, a employé toute son industrie à me tromper; je penserai que le ciel, l'air, la terre, les couleurs, les figures, les sons, et toutes les autres choses extérieures, ne sont rien que des illusions et rêveries dont il s'est servi pour tendre des pièges à ma crédulité; je me considérerai moi-même comme n'ayant point de mains, point d'yeux, point de chair, point de sang; comme n'ayant aucun sens, mais croyant faussement avoir toutes ces choses; je demeurerai obstinément attaché à cette pensée; et si, par ce moyen, il n'est pas en mon pouvoir de parvenir à la connaissance d'aucune vérité, à tout le moins il est en ma puissance de suspendre mon jugement. C'est pourquoi je prendrai garde soigneusement de ne recevoir en ma croyance aucune fausseté, et préparerai si bien mon esprit à toutes les ruses de ce grand trompeur, que, pour puissant et rusé qu'il soit, il ne me pourra jamais rien imposer.

Mais ce dessein est pénible et laborieux, et une certaine paresse m'entraîne insensiblement dans le train de ma vie ordinaire; et tout de même qu'un esclave qui jouissait dans le sommeil d'une liberté imaginaire[2], lorsqu'il commence à soupçonner que sa liberté n'est qu'un songe, craint de se réveiller, et conspire avec ces illusions agréables pour en être plus longtemps abusé, ainsi je retombe insensiblement de moi-même dans mes anciennes opinions, et j'appréhende

---

1. Voir page 32, note 1; **2.** La comparaison est extrêmement importante en elle-même, car Descartes y définit, par un détour, sa conception de la liberté qui n'est pas fictive (voir IVᵉ Méditation), mais qui travaille à devenir réelle, c'est-à-dire d'une liberté qui est libération.

de me réveiller de cet assoupissement, de peur que les veilles laborieuses qui auraient à succéder à la tranquillité de ce repos, au lieu de m'apporter quelque jour et quelque lumière dans la connaissance de la vérité, ne fussent pas suffisantes pour éclaircir toutes les ténèbres des difficultés qui viennent d'être agitées.

MÉDITATION SECONDE

DE LA NATURE DE L'ESPRIT HUMAIN, ET QU'IL EST PLUS AISÉ A CONNAITRE QUE LE CORPS

La méditation que je fis hier m'a rempli l'esprit de tant de doutes, qu'il n'est plus désormais en ma puissance de les oublier. Et cependant je ne vois pas de quelle façon je les pourrai résoudre; et comme si tout à coup j'étais tombé dans une eau très profonde, je suis tellement surpris que je ne puis ni assurer mes pieds dans le fond, ni nager pour me soutenir au-dessus. Je m'efforcerai néanmoins, et suivrai derechef la même voie où j'étais entré hier, en m'éloignant de tout ce en quoi je pourrai imaginer le moindre doute, tout de même que si je connaissais que cela fût absolument faux; et je continuerai toujours dans ce chemin jusqu'à ce que j'aie rencontré quelque chose de certain, ou du moins, si je ne puis autre chose, jusqu'à ce que j'aie appris certainement qu'il n'y a rien au monde de certain[1]. Archimède, pour tirer le globe terrestre de sa place et le transporter en un autre lieu, ne demandait rien qu'un point qui fût ferme et immobile[2] : ainsi j'aurai droit de concevoir de hautes espérances si je suis assez heureux pour trouver seulement une chose qui soit certaine et indubitable.

Je suppose donc que toutes les choses que je vois sont fausses; je me persuade que rien n'a jamais été de tout ce que ma mémoire[3] remplie de mensonges me représente; je pense n'avoir aucun sens; je crois que le corps, la figure, l'étendue, le mouvement et le lieu ne sont que des fictions

---

1. Descartes semble un instant envisager la possibilité d'une philosophie sceptique. Il est intéressant de remarquer que, même dans cette hypothèse, il s'intéresse à une certitude, celle suivant laquelle il n'y a rien de certain. Cf. jugement de Pascal sur Montaigne : *Entretien avec M. de Saci;* **2.** Le doute défini ici est un doute qui cherche la certitude et qui ne doute pas pour douter; **3.** La mémoire rappelle ici la fiction du malin génie.

de mon esprit. Qu'est-ce donc qui pourra être estimé véritable ? Peut-être rien autre chose, sinon qu'il n'y a rien au monde de certain[1].

Mais que sais-je s'il n'y a point quelque autre chose différente de celles que je viens de juger incertaines, de laquelle on ne puisse avoir le moindre doute ? N'y a-t-il point quelque Dieu ou quelque autre puissance qui me met en esprit ces pensées ? Cela n'est pas nécessaire, car peut-être que je suis capable de les produire de moi-même. Moi donc à tout le moins ne suis-je point quelque chose[2] ? Mais j'ai déjà nié que j'eusse aucun sens ni aucun corps ; j'hésite néanmoins, car que s'ensuit-il de là ? Suis-je tellement dépendant du corps et des sens que je ne puisse être sans eux ? Mais je me suis persuadé qu'il n'y avait rien du tout dans le monde, qu'il n'y avait aucun ciel, aucune terre, aucuns esprits ni aucuns corps ; ne me suis-je donc pas aussi persuadé que je n'étais point ? Tant s'en faut ; j'étais sans doute, si je me suis persuadé ou seulement si j'ai pensé quelque chose. Mais il y a un je ne sais quel trompeur très puissant et très rusé qui emploie toute son industrie à me tromper toujours. Il n'y a donc point de doute que je suis, s'il me trompe ; et qu'il me trompe tant qu'il voudra, il ne saura jamais faire que je ne sois rien tant que je penserai être quelque chose. De sorte qu'après y avoir bien pensé et avoir soigneusement examiné toutes choses, enfin il faut conclure, et tenir pour constant que cette proposition : Je suis, j'existe[3], est nécessairement vraie, toutes les fois que je la prononce ou que je la conçois en mon esprit.

Mais je ne connais pas encore assez clairement quel je suis, moi qui suis certain que je suis ; de sorte que désormais il faut que je prenne soigneusement garde de ne prendre pas imprudemment quelque autre chose pour moi, et ainsi de ne me point méprendre dans cette connaissance que je soutiens être plus certaine et plus évidente que toutes celles que j'ai eues auparavant. C'est pourquoi je considérerai maintenant tout de nouveau ce que je croyais être avant que j'entrasse dans ces dernières pensées ; et de mes anciennes opinions je retrancherai tout ce qui peut être tant soit peu

---

1. Voir page 35, note 1 ; **2.** Rappel des doutes successifs, mais appliqués au « moi ». Ne peut être exclue du doute que la pensée comme acte ; **3.** Voir *Discours de la méthode*. Noter la suppression du « donc », remplacé par une virgule destinée à éviter le contresens d'une interprétation syllogistique.

combattu par les raisons que j'ai tantôt alléguées, en sorte
qu'il ne demeure précisément que cela seul qui est entièrement certain et indubitable. Qu'est-ce donc que j'ai cru
être ci-devant ? Sans difficulté, j'ai pensé que j'étais un
homme. Mais qu'est-ce qu'un homme ? Dirai-je que c'est
un animal raisonnable[1] ? Non, certes car il me faudrait par
après rechercher ce que c'est qu'animal, et ce que c'est que
raisonnable ; et ainsi d'une seule question je tomberais
insensiblement en une infinité d'autres plus difficiles et
plus embarrassées ; et je ne voudrais pas abuser du peu de
temps et de loisir qui me reste, en l'employant à démêler
de semblables difficultés. Mais je m'arrêterai plutôt à
considérer ici les pensées qui naissaient ci-devant d'elles-
mêmes en mon esprit, et qui ne m'étaient inspirées que de
ma seule nature, lorsque je m'appliquais à la considération
de mon être. Je me considérais premièrement comme ayant
un visage, des mains, des bras, et toute cette machine
composée d'os et de chair, telle qu'elle paraît en un cadavre,
laquelle je désignais par le nom de corps. Je considérais,
outre cela, que je me nourrissais, que je marchais, que je
sentais et que je pensais, et je rapportais toutes ces actions
à l'âme ; mais je ne m'arrêtais point à penser ce que c'était
que cette âme, ou bien, si je m'y arrêtais, je m'imaginais
qu'elle était quelque chose d'extrêmement rare et subtil,
comme un vent, une flamme ou un air très délié, qui était
insinué et répandu dans mes plus grossières parties. Pour
ce qui était du corps, je ne doutais nullement de sa nature ;
mais je pensais la connaître fort distinctement ; et si je l'eusse
voulu expliquer suivant les notions que j'en avais alors, je
l'eusse décrite en cette sorte : Par le corps, j'entends tout ce
qui peut être terminé par quelque figure[2], qui peut être
compris en quelque lieu, et remplir un espace en telle sorte
que tout autre corps en soit exclu ; qui peut être senti, ou
par l'attouchement, ou par la vue, ou par l'ouïe, ou par le
goût, ou par l'odorat ; qui peut être mû en plusieurs façons,
non pas à la vérité par lui-même, mais par quelque chose
d'étranger duquel il soit touché, et dont il reçoive l'impres-

---

1. Rappel des doutes précédents qui permettront de poser cette existence comme celle d'une pensée pure réduite à un acte ; **2.** On retrouve ici les éléments de la physique cartésienne par figure et mouvement et même la conception de l'animal-machine. Descartes en doute à présent, mais rétablira ces connaissances dans la VIᵉ Méditation ; le doute ne porte pas sur le détail, mais sur la valeur de la science et sert, en fait, à la fonder.

sion; car d'avoir la puissance de se mouvoir de soi-même, comme aussi de sentir ou de penser, je ne croyais nullement que cela appartînt à la nature du corps; au contraire, je m'étonnais plutôt de voir que de semblables facultés se rencontraient en quelques-uns.

Mais moi, qui suis-je, maintenant que je suppose qu'il y a un certain génie qui est extrêmement puissant, et, si j'ose le dire, malicieux et rusé, qui emploie toutes ses forces et toute son industrie à me tromper? Puis-je assurer que j'aie la moindre chose de toutes celles que j'ai dit naguère appartenir à la nature du corps? Je m'arrête à penser avec attention, je passe et repasse toutes ces choses en mon esprit, et je n'en rencontre aucune que je puisse dire être en moi; il n'est pas besoin que je m'arrête à les dénombrer. Passons donc aux attributs de l'âme, et voyons s'il y en a à quelqu'un qui soit en moi. Les premiers sont de me nourrir et de marcher; mais s'il est vrai que je n'ai point de corps, il est vrai aussi que je ne puis marcher ni me nourrir. Un autre est de sentir; mais on ne peut aussi sentir sans le corps[1], outre que j'ai pensé sentir autrefois plusieurs choses pendant le sommeil, que j'ai reconnu à mon réveil n'avoir point en effet senties. Un autre est de penser, et je trouve ici que la pensée est un attribut qui m'appartient; elle seule ne peut être détachée de moi. Je suis, j'existe, cela est certain; mais combien de temps? autant de temps que je pense; car peut-être même qu'il se pourrait faire, si je cessais totalement de penser, que je cesserais en même temps tout à fait d'être. Je n'admets maintenant rien qui ne soit nécessairement vrai; je ne suis donc, précisément parlant, qu'une chose qui pense, c'est-à-dire un esprit, un entendement ou une raison, qui sont des termes dont la signification m'était auparavant inconnue. Or je suis une chose vraie et vraiment existante; mais quelle chose? Je l'ai dit : une chose qui pense[2]. Et quoi davantage? J'exciterai mon imagination pour voir si je ne suis point encore quelque chose de plus. Je ne suis

---

1. Dans la logique de sa démonstration, Descartes parvient à définir la pensée pure : mais ici, on saisit une forme de la contradiction signalée dans la notice, p. 9 ; « sentir » sera défini plus loin comme « penser » (p. 43). Or, on ne peut sentir sans le corps et sans l'objet senti : c'est la critique essentielle portée par Kant contre cette analyse qui démontre non seulement l'existence de la pensée, mais corrélativement celle du monde (*Critique de la raison pure*, p. 238, édition Alcan); 2. Le problème de la « critique » sera de savoir si on peut penser sans penser quelque chose. L'opération de Descartes est légitime, en tant qu'il étudie le fonctionnement de la pensée : elle cesse d'être légitime quand il sépare la pensée de son objet et transforme l'opération de pensée en fait, l'abstraction en abstrait. C'est la critique générale de tout idéalisme.

point cet assemblage de membres que l'on appelle le corps
humain; je ne suis point un air délié et pénétrant répandu
dans tous ces membres; je ne suis point un vent, un souffle,
une vapeur, ni rien de tout ce que je puis feindre et m'imaginer, puisque j'ai supposé que tout cela n'était rien, et que,
sans changer cette supposition, je trouve que je ne laisse pas
d'être certain que je suis quelque chose.

Mais peut-être est-il vrai que ces mêmes choses-là que
je suppose n'être point, parce qu'elles me sont inconnues,
ne sont point en effet différentes de moi, que je connais.
Je n'en sais rien; je ne dispute pas maintenant de cela;
je ne puis donner mon jugement que des choses qui me
sont connues; je connais que j'existe, et je cherche quel je
suis, moi que je connais être. Or il est très certain que la
connaissance de mon être, ainsi précisément pris, ne dépend
point des choses dont l'existence ne m'est pas encore connue;
par conséquent elle ne dépend d'aucunes de celles que je
puis feindre par mon imagination. Et même ces termes de
feindre et d'imaginer m'avertissent de mon erreur; car je
feindrais en effet si je m'imaginais être quelque chose,
puisque imaginer[1] n'est rien autre chose que contempler
la figure ou l'image d'une chose corporelle; or, je sais déjà
certainement que je suis, et que tout ensemble il se peut
faire que toutes ces images, et généralement toutes les
choses se rapportant à la nature du corps, ne soient que des
songes ou des chimères. Ensuite de quoi je vois clairement
que j'ai aussi peu de raison en disant : « J'exciterai mon
imagination pour connaître plus distinctement quel je suis »,
que si je disais : « Je suis maintenant éveillé, et j'aperçois
quelque chose de réel et de véritable; mais, parce que je ne
l'aperçois pas encore assez nettement, je m'endormirai tout
exprès, afin que mes songes me représentent cela même
avec plus de vérité et d'évidence. » Et, partant, je connais
manifestement que rien de tout ce que je puis comprendre
par le moyen de l'imagination n'appartient à cette connaissance que j'ai de moi-même, et qu'il est besoin de rappeler
et détourner son esprit de cette façon de concevoir, afin
qu'il puisse lui-même connaître bien distinctement sa nature.

Mais qu'est-ce donc que je suis? une chose qui pense.
Qu'est-ce qu'une chose qui pense? c'est une chose qui

---

1. Descartes distingue ici l'imagination de la pensée pour parvenir à dégager une pensée
pure.

doute, qui entend, « qui conçoit », qui affirme, qui nie, qui
veut, qui ne veut pas, qui imagine aussi, et qui sent[1]. Certes,
ce n'est pas peu si toutes ces choses appartiennent à ma
nature. Mais pourquoi n'y appartiendraient-elles pas ? Ne
suis-je pas celui-là même qui maintenant doute presque de
tout, qui néanmoins entend et conçoit certaines choses, qui
affirme celles-là seules être véritables, qui nie toutes les
autres, qui veut et désire d'en connaître davantage, qui ne
veut pas être trompé, qui imagine beaucoup de choses,
même quelquefois en dépit que j'en aie, et qui en sent aussi
beaucoup, comme par l'entremise des organes du corps ?
Y a-t-il rien de tout cela qui ne soit aussi véritable qu'il est
certain que je suis et que j'existe, quand même je dormirais
toujours, et que celui qui m'a donné l'être se servirait de
toute son industrie pour m'abuser ? Y a-t-il aussi aucun de
ces attributs qui puisse être distingué de ma pensée, ou
qu'on puisse dire être séparé de moi-même ? Car il est de
soi si évident que c'est moi qui doute, qui entends et qui
désire, qu'il n'est pas ici besoin de rien ajouter pour l'expliquer. Et j'ai aussi certainement la puissance d'imaginer ;
car, encore qu'il puisse arriver (comme j'ai supposé auparavant) que les choses que j'imagine ne soient pas vraies,
néanmoins cette puissance d'imaginer ne laisse pas d'être
réellement en moi, et fait partie de ma pensée. Enfin, je
suis le même qui sens, c'est-à-dire qui aperçoit certaines
choses comme par les organes des sens, puisqu'en effet je
vois de la lumière, j'entends du bruit, je sens de la chaleur.
Mais l'on me dira que ces apparences-là sont fausses, et
que je dors. Qu'il soit ainsi ; toutefois, à tout le moins, il
est très certain qu'il me semble que je vois de la lumière,
que j'entends du bruit, et que je sens de la chaleur ; cela ne
peut être faux : et c'est proprement ce qui en moi s'appelle
sentir ; et cela précisément n'est rien autre chose que penser.
D'où je commence à connaître quel je suis avec un peu plus
de clarté et de distinction que ci-devant.

Mais néanmoins il me semble encore et je ne puis m'empêcher de croire que les choses corporelles dont les images
se forment par la pensée, qui tombent sous les sens, et que
les sens même examinent, ne soient beaucoup plus distinc-

---

1. Descartes pose la généralité de l'acte de penser, ce qui l'amène à définir l'abstraction de
la pensée pure qu'il vient d'opérer comme n'ayant de sens que par rapport aux opérations
concrètes de l'esprit qui ne saurait penser sans penser quelque chose.

tement connues que cette je ne sais quelle partie de moi-même qui ne tombe point sous l'imagination, quoique en effet cela soit bien étrange de dire que je connaisse et comprenne plus distinctement des choses dont l'existence me paraît douteuse, qui me sont inconnues et qui ne m'appartiennent point, que celles de la vérité desquelles je suis persuadé, qui me sont connues et qui appartiennent à ma propre nature, en un mot que moi-même. Mais je vois bien ce que c'est : mon esprit est un vagabond qui se plaît à m'égarer, et qui ne saurait encore souffrir qu'on le retienne dans les justes bornes de la vérité. Lâchons-lui donc encore une fois la bride, et, lui donnant toute sorte de liberté, permettons-lui de considérer les objets qui lui paraissent au dehors, afin que, venant ci-après à la retirer doucement et à propos, et à l'arrêter sur la considération de son être et des choses qu'il trouve en lui, il se laisse après cela plus facilement régler et conduire.

Considérons donc maintenant les choses que l'on estime vulgairement être les plus faciles de toutes à connaître, et que l'on croit aussi être le plus distinctement connues, c'est à savoir les corps que nous touchons et que nous voyons : non pas à la vérité les corps en général, car ces notions générales sont d'ordinaire un peu plus confuses; mais considérons-en un en particulier[1]. Prenons par exemple ce morceau de cire; il vient tout fraîchement d'être tiré de la ruche, il n'a pas encore perdu la douceur du miel qu'il contenait, il retient encore quelque chose de l'odeur des fleurs dont il a été recueilli; sa couleur, sa figure, sa grandeur, sont apparentes; il est dur, il est froid, il est maniable; et si vous frappez dessus, il rendra quelque son. Enfin, toutes les choses qui peuvent distinctement faire connaître un corps se rencontrent en celui-ci. Mais voici que pendant que je parle on l'approche du feu; ce qui y restait de saveur s'exhale, l'odeur[2] s'évapore, sa couleur se change, sa figure[3] se perd, sa grandeur augmente, il devient liquide, il s'échauffe, à peine le peut-on manier; et quoique l'on frappe dessus, il ne rendra plus aucun son. La même cire demeure-t-elle encore après ce changement ? Il faut avouer qu'elle demeure :

---

1. Il s'agit de critiquer la perception, et de montrer que la pensée pure est possible : voir Berkeley, *Dialogues d'Hylas et de Philonoüs*, qui expose cet argument, caractéristique de l'idéalisme, et qui se réfère au second de ses dogmes : les corps n'existent que dans la mesure où ils sont perçus; **2.** *Odeur, couleur* : les qualités secondes dans la terminologie classique; **3.** *Figure, grandeur* : les qualités premières.

personne n'en doute, personne ne juge autrement. Qu'est-ce donc que l'on connaissait en ce morceau de cire avec tant de distinction? Certes ce ne peut être rien de tout ce que j'y ai remarqué par l'entremise des sens, puisque toutes les choses qui tombaient sous le goût, sous l'odorat, sous la vue, sous l'attouchement et sous l'ouïe, se trouvent changées, et que cependant la même cire demeure. Peut-être était-ce ce que je pense maintenant, à savoir que cette cire n'était pas ni cette douceur de miel, ni cette agréable odeur de fleurs, ni cette blancheur, ni cette figure, ni ce son, mais seulement un corps qui un peu auparavant me paraissait sensible sous ces formes, et qui maintenant se fait sentir sous d'autres. Mais qu'est-ce, précisément parlant, que j'imagine lorsque je le conçois en cette sorte? Considérons-le attentivement, et retranchant toutes les choses qui n'appartiennent point à la cire, voyons ce qui reste. Certes il ne demeure rien que quelque chose d'étendu, de flexible et de muable. Or, qu'est-ce que cela, flexible et muable[1]? N'est-ce pas que j'imagine que cette cire, étant ronde, est capable de devenir carrée, et de passer du carré en une figure triangulaire? Non certes, ce n'est pas cela, puisque je la conçois capable de recevoir une infinité de semblables changements; et je ne saurais néanmoins parcourir cette infinité par mon imagination, et par conséquent cette conception que j'ai de la cire ne s'accomplit pas par la faculté d'imaginer. Qu'est-ce maintenant que cette extension? N'est-elle pas aussi inconnue? car elle devient plus grande quand la cire se fond, plus grande quand elle bout, et plus grande encore quand la chaleur augmente; et je ne concevrais pas clairement et selon la vérité ce que c'est que de la cire, si je ne pensais que même ce morceau que nous considérons est capable de recevoir plus de variétés selon l'extension que je n'en ai jamais imaginé. Il faut donc demeurer d'accord que je ne saurais pas même comprendre par l'imagination ce que c'est que ce morceau de cire, et qu'il n'y a que mon entendement seul qui le comprenne. Je dis ce morceau de cire en particulier, car pour la cire en

---

1. La notion d'objet d'une construction de l'esprit. Noter que c'est en apparence la critique idéaliste de la matière, mais que Descartes ne prétend nullement montrer que la matière n'existe pas; il envisage de laisser apparaître que ce que nous appelons morceau de cire est un objet construit par notre pensée. Le morceau de cire, contrairement à ce qui advient dans le monisme spiritualiste de Berkeley, existe matériellement, mais son existence matérielle ne sera démontrée que dans les Ve et VIe Méditations.

général, il est encore plus évident. Mais quel est ce morceau de cire qui ne peut être compris que par l'entendement ou par l'esprit ? Certes, c'est le même que je vois, que je touche, que j'imagine, et enfin c'est le même que j'ai toujours cru que c'était au commencement. Or, ce qui est ici grandement à remarquer, c'est que sa perception n'est point une vision, ni un attouchement, ni une imagination, et ne l'a jamais été, quoiqu'il le semblât ainsi auparavant ; mais seulement une inspection de l'esprit, laquelle peut être imparfaite et confuse, comme elle était auparavant, ou bien claire et distincte[1], comme elle est à présent, selon que mon attention se porte plus ou moins aux choses qui sont en elle, et dont elle est composée.

Cependant je ne me saurais trop étonner quand je considère combien mon esprit a de faiblesse et de pente qui le porte insensiblement dans l'erreur. Car encore que sans parler je considère tout cela en moi-même, les paroles toutefois m'arrêtent, et je suis presque déçu par les termes du langage ordinaire ; car nous disons que nous voyons la même cire, si elle est présente, et non pas que nous jugeons que c'est la même, de ce qu'elle a même couleur et même figure : d'où je voudrais presque conclure que l'on connaît la cire par la vision des yeux, et non par la seule inspection de l'esprit si par hasard je ne regardais d'une fenêtre des hommes qui passent dans la rue. à la vue desquels je ne manque pas de dire que je vois des hommes, tout de même que je dis que je vois de la cire ; et cependant que vois-je de cette fenêtre, sinon des chapeaux et des manteaux qui pourraient couvrir des machines artificielles qui ne se remueraient que par ressorts[2] ? Mais je juge que ce sont des hommes, et ainsi je comprends par la seule puissance de juger, qui réside en mon esprit, ce que je croyais de mes yeux.

Un homme qui tâche d'élever sa connaissance au delà du commun doit avoir honte de tirer des occasions de douter des formes de parler que le vulgaire a inventées ; j'aime mieux passer outre, et considérer si je concevais avec plus d'évidence et de perfection ce que c'était que de la cire lorsque je l'ai d'abord aperçue, et que j'ai cru la connaître par le moyen des sens extérieurs, ou à tout le moins par le

---

1. Idée d'un progrès de l'esprit qui se traduit par des concepts des choses de plus en plus scientifiques ; **2.** Voir commentaire de Merleau-Ponty, *Phén. de la perception*, préface.

sens commun, ainsi qu'ils appellent, c'est-à-dire par la faculté imaginative, que je ne la conçois à présent, après avoir plus soigneusement examiné ce qu'elle est, et de quelle façon elle peut être connue. Certes il serait ridicule de mettre cela en doute, car qu'y avait-il dans cette première perception qui fût distinct ? qu'y avait-il qui ne semblât pouvoir tomber en même sorte dans le sens du moindre des animaux ? Mais quand je distingue la cire d'avec ses formes extérieures, et que, tout de même que si je lui avais ôté ses vêtements, je la considère toute nue, il est certain que, bien qu'il se puisse encore rencontrer quelque erreur dans mon jugement, je ne la puis néanmoins concevoir de cette sorte sans un esprit humain.

Mais enfin que dirai-je de cet esprit, c'est-à-dire du moi-même ? car jusques ici je n'admets en moi rien autre chose que l'esprit. Quoi donc ! moi qui semble concevoir avec tant de netteté et de distinction ce morceau de cire, ne me connais-je pas moi-même, non seulement avec bien plus de vérité et de certitude, mais encore avec beaucoup plus de distinction et de netteté ? car si je juge que la cire est ou existe de ce que je la vois, certes il suit bien plus évidemment[1] que je suis ou que j'existe moi-même de ce que je la vois : car il se peut faire que ce que je vois ne soit pas en effet de la cire, il peut se faire aussi que je n'aie pas même des yeux pour voir aucune chose; mais il ne peut se faire que lorsque je la vois, ou, ce que je ne distingue point, lorsque je pense voir, que moi qui pense ne sois quelque chose. De même, si je juge que la cire existe de ce que je la touche, il s'ensuivra encore la même chose, à savoir que je suis; et si je le juge de ce que mon imagination ou quelque autre cause que ce soit me le persuade, je conclurai toujours la même chose. Et ce que j'ai remarqué ici de la cire se peut appliquer à toutes les autres choses qui me sont extérieures et qui se rencontrent hors de moi. Et, de plus, si la notion ou perception de la cire m'a semblé plus nette et plus distincte après que non seulement la vue ou le toucher, mais encore beaucoup d'autres causes, me l'ont rendue plus manifeste, avec combien plus d'évidence, de distinction et de netteté faut-il avouer que je me connais à présent moi-même, puisque toutes les raisons qui servent à connaître

---

1. Rappel du titre de la méditation : Kant, critiquant ce texte, montrera qu'il n'y a pas priorité de démonstrations, mais corrélativité.

et concevoir la nature de la cire, ou de quelque autre corps que ce soit, prouvent beaucoup mieux la nature de mon esprit; et il se rencontre encore tant d'autres choses en l'esprit même qui peuvent contribuer à l'éclaircissement de sa nature, que celles qui dépendent du corps, comme celles-ci, ne méritent quasi pas d'être mises en compte.

Mais enfin me voici insensiblement revenu où je voulais[1]; car, puisque c'est une chose qui m'est à présent manifeste que les corps mêmes ne sont pas proprement connus par les sens ou par la faculté d'imaginer, mais par le seul entendement, et qu'ils ne sont pas connus de ce qu'ils sont vus ou touchés, mais seulement de ce qu'ils sont entendus, ou bien compris par la pensée, je vois clairement qu'il n'y a rien qui me soit plus facile à connaître que mon esprit. Mais parce qu'il est malaisé de se défaire si promptement d'une opinion à laquelle on s'est accoutumé de longue main, il sera bon que je m'arrête un peu en cet endroit, afin que par la longueur de ma méditation j'imprime plus profondément en ma mémoire cette nouvelle connaissance.

MÉDITATION TROISIÈME

DE DIEU; QU'IL EXISTE

Je fermerai maintenant les yeux, je boucherai mes oreilles, je détournerai tous mes sens, j'effacerai même de ma pensée toutes les images des choses corporelles, ou du moins, parce qu'à peine cela se peut-il faire, je les réputerai comme vaines et comme fausses; et ainsi m'entretenant seulement moi-même, et considérant mon intérieur, je tâcherai de me rendre peu à peu plus connu et plus familier à moi-même. Je suis une chose qui pense, c'est-à-dire qui doute, qui affirme, qui nie, qui connaît peu de choses, qui en ignore beaucoup, qui aime, qui hait, qui veut, qui ne veut pas, qui imagine aussi, et qui sent[2]; car, ainsi que j'ai remarqué ci-devant, quoique les choses que je sens et que j'imagine ne soient peut-être rien du tout hors de moi « et en elles-mêmes », je suis

---

1. Cette digression apparente sur la perception est une réponse anticipée, mais vaine, à la critique de Kant. Descartes n'a pu montrer que la nécessité, à laquelle il est astreint comme tout le monde, de penser un objet (ici, la cire) pour montrer qu'il pense. La pensée abstraite n'a de sens que par rapport au concret; 2. Reprise de la formule de la méditation précédente, page **40**.

néanmoins assuré que ces façons de penser que j'appelle sentiments et imaginations, en tant seulement qu'elles sont des façons de penser, résident et se rencontrent certainement en moi. Et dans ce peu que je viens de dire, je crois avoir rapporté tout ce que je sais véritablement, ou du moins tout ce que jusques ici j'ai remarqué que je savais. Maintenant, pour tâcher d'étendre ma connaissance plus avant, j'userai de circonspection, et considérerai avec soin si je ne pourrai point encore découvrir en moi quelques autres choses que je n'aie point encore jusques ici aperçues. Je suis assuré que je suis une chose qui pense; mais ne sais-je donc pas aussi ce qui est requis pour me rendre certain de quelque chose? Certes, dans cette première connaissance il n'y a rien qui m'assure de la vérité que la claire et distincte perception de ce que je dis, laquelle, de vrai, ne serait pas suffisante pour m'assurer que ce que je dis est vrai, s'il pouvait jamais arriver qu'une chose que je concevrais ainsi clairement et distinctement se trouvât fausse; et, partant, il me semble que déjà je puis établir pour règle générale que toutes les choses que nous concevons fort clairement et fort distinctement sont toutes vraies[1].

Toutefois j'ai reçu et admis ci-devant plusieurs choses comme très certaines et très manifestes, lesquelles néanmoins j'ai reconnu par après être douteuses et incertaines. Quelles étaient donc ces choses-là? C'était la terre, le ciel, les astres, et toutes les autres choses que j'apercevais par l'entremise de mes sens. Or qu'est-ce que je concevais clairement et distinctement en elles? Certes rien autre chose, sinon que les idées ou les pensées de ces choses-là se présentaient à mon esprit. Et encore à présent je ne nie pas que ces idées ne se rencontrent en moi. Mais il y avait encore une autre chose que j'assurais, et qu'à cause de l'habitude que j'avais à la croire je pensais apercevoir très clairement, quoique véritablement je ne l'aperçusse point, à savoir qu'il y avait des choses hors de moi d'où procédaient ces idées, et auxquelles elles étaient tout à fait semblables; et c'était en cela que je me trompais; ou si peut-être je jugeais selon la vérité, ce n'était aucune connaissance que j'eusse qui fût cause de la vérité de mon jugement.

---

1. Husserl déclare, dans ses méditations cartésiennes, que Descartes, malgré ses précautions, a douté de tout, sauf de ces notions de clarté et de distinction qui appartiennent aux mathématiques. (Voir Notice, p. 14.)

Mais lorsque je considérais quelque chose de fort simple et de fort facile touchant l'arithmétique et la géométrie, par exemple que deux et trois joints ensemble produisent le nombre de cinq, et autres choses semblables, ne les concevais-je pas au moins assez clairement pour assurer qu'elles étaient vraies ? Certes si j'ai jugé depuis qu'on pouvait douter de ces choses, ce n'a point été pour autre raison[1] que parce qu'il me venait en l'esprit que peut-être quelque Dieu avait pu me donner une telle nature que je me trompasse même touchant les choses qui me semblent les plus manifestes. Or toutes les fois que cette opinion ci-devant conçue de la souveraine puissance d'un Dieu se présente à ma pensée, je suis contraint d'avouer qu'il lui est facile, s'il le veut, de faire en sorte que je m'abuse même dans les choses que je crois connaître avec une évidence très grande ; et au contraire, toutes les fois que je me tourne vers les choses que je pense concevoir clairement, je suis tellement persuadé par elles, que de moi-même je me laisse emporter à ces paroles : Me trompe qui pourra, si est-ce qu'il ne saurait jamais faire que je ne sois rien, tandis que je penserai être quelque chose, ou que quelque jour il soit vrai que je n'aie jamais été, étant vrai maintenant que je suis, ou bien que deux et trois joints ensemble fassent plus ni moins que cinq, ou choses semblables, que je vois clairement ne pouvoir être d'autre façon que je les conçois.

Et certes, puisque je n'ai aucune raison de croire qu'il y ait quelque Dieu qui soit trompeur, et même que je n'aie pas encore considéré celles qui prouvent qu'il y a un Dieu, la raison de douter qui dépend seulement de cette opinion est bien légère, et pour ainsi dire métaphysique[2]. Mais afin de la pouvoir tout à fait ôter, je dois examiner s'il y a un Dieu, sitôt que l'occasion s'en présentera ; et si je trouve qu'il y en ait un, je dois aussi examiner s'il peut être trompeur ; car, sans la connaissance de ces deux vérités, je ne vois pas que je puisse jamais être certain d'aucune chose. Et afin que je puisse avoir occasion d'examiner cela sans interrompre l'ordre de méditer que je me suis proposé, qui est de passer par degrés des notions que je trouverai les premières en mon esprit à celles que j'y pourrai trouver

---

1. Ce qu'il appellera une raison « bien légère et métaphysique » (IIIe Méditation) et « hyperbolique et ridicule » (VIe Méditation) ; 2. Passage particulièrement impertinent pour la métaphysique, et d'autant plus que l'impertinence semble involontaire.

par après, il faut ici que je divise toutes mes pensées en certains genres, et que je considère dans lesquels de ces genres il y a proprement de la vérité ou de l'erreur[1].

Entre mes pensées, quelques-unes sont comme les images des choses, et c'est à celles-là seules que convient proprement le nom d'idée; comme lorsque je me représente un homme, ou une chimère, ou le ciel, ou un ange, ou Dieu même. D'autres, outre cela, ont quelques autres formes; comme lorsque je veux, que je crains, que j'affirme ou que je nie; je conçois bien alors quelque chose comme le sujet de l'action de mon esprit, mais j'ajoute aussi quelque autre chose par cette action à l'idée que j'ai de cette chose là; et de ce genre de pensées, les unes sont appelées volontés ou affections, et les autres jugements[2].

Maintenant, pour ce qui concerne les idées, si on les considère seulement en elles-mêmes[3], et qu'on ne les rapporte point à quelque autre chose, elles ne peuvent, à proprement parler, être fausses; car soit que j'imagine une chèvre ou une chimère, il n'est pas moins vrai que j'imagine l'une ou l'autre. Il ne faut pas craindre aussi qu'il se puisse rencontrer de la fausseté dans les affections ou volontés; car, encore que je puisse désirer des choses mauvaises ou même qui ne furent jamais, toutefois il n'est pas pour cela moins vrai que je les désire. Ainsi il ne reste plus que les seuls jugements dans lesquels je dois prendre garde soigneusement de ne me point tromper. Or la principale erreur et la plus ordinaire qui s'y puisse rencontrer consiste en ce que je juge que les idées qui sont en moi sont semblables ou conformes à des choses qui sont hors de moi; car certainement si je considérais seulement les idées comme de certains modes ou façons de ma pensée, sans les vouloir rapporter à quelque autre chose d'extérieur, à peine me pourraient-elles donner occasion de faillir[4].

---

1. Cette distinction a été amorcée dans la Iʳᵉ Méditation, p. 31, à propos des idées simples et complexes, et des sciences qui en résultent; **2.** Cette première nomenclature rapporte les idées à leur objet et, comme elle contient des volontés, elle définit tacitement les idées comme des comportements : images, conduites, jugements (abstraits). Cette conception s'explique parce que toute la psychologie, pour Descartes, est le domaine des idées, ou claires ou confuses, c'est-à-dire parce que toute idée contient un premier élément, qui est le résultat du travail de l'entendement (voir IVᵉ Méditation); **3.** Deuxième point de vue qui juge les idées non sur le plan formel, comme pourrait le laisser croire l'expression « en elles-mêmes », mais sur le plan de l'acte de volonté (adhésion) qu'elles contiennent toutes (voir IVᵉ Méditation); **4.** L'erreur consiste (voir IVᵉ Méditation) dans l'adéquation de la volonté infinie à l'entendement fini. Descartes n'utilise pas encore le vocabulaire, car il n'a pas encore abordé les « facultés de l'âme » et aussi parce qu'il traite du problème de la réalité objective, qui lui permettra de démontrer Dieu.

Or, entre ces idées, les unes me semblent être nées avec moi, les autres être étrangères et venir de dehors, et les autres être faites et inventées par moi-même. Car que j'aie la faculté de concevoir ce que c'est qu'on nomme en général une chose, ou une vérité, ou une pensée, il me semble que je ne tiens point cela d'ailleurs que de ma nature propre; mais si j'ouïs maintenant quelque bruit, si je vois le soleil, si je sens de la chaleur, jusqu'à cette heure j'ai jugé que ces sentiments procédaient de quelques choses qui existent hors de moi; et enfin il me semble que les sirènes, les hippo-griffes et toutes les autres semblables chimères sont des fictions et inventions de mon esprit. Mais aussi peut-être me puis-je persuader que toutes ces idées sont du genre de celles que j'appelle étrangères, et qui viennent de dehors, ou bien qu'elles sont toutes nées avec moi, ou bien qu'elles ont toutes été faites par moi[1]; car je n'ai point encore clai-rement découvert leur véritable origine. Et ce que j'ai principalement à faire en cet endroit est de considérer, touchant celles qui semblent venir de quelques objets qui sont hors de moi, quelles sont les raisons qui m'obligent à les croire semblables à ces objets.

La première de ces raisons est qu'il me semble que cela m'est enseigné par la nature, et la seconde, que j'expérimente en moi-même que ces idées ne dépendent point de ma volonté; car souvent elles se présentent à moi malgré moi, comme maintenant, soit que je le veuille, soit que je ne le veuille pas. Je sens de la chaleur, et pour cela je me persuade que ce sentiment ou bien cette idée de la chaleur est pro-duite en moi par une chose différente de moi, à savoir par la chaleur du feu auprès duquel je suis assis. Et je ne vois rien qui me semble plus raisonnable de juger que cette chose étrangère envoie et imprime en moi sa ressemblance plutôt qu'aucune autre chose.

Maintenant il faut que je voie si ces raisons sont assez fortes et convaincantes. Quand je dis qu'il me semble que cela m'est enseigné par la nature, j'entends seulement par ce mot de nature une certaine inclination qui me porte à le croire, et non pas une lumière naturelle qui me fasse con-naître que cela est véritable. Or ces deux façons de parler diffèrent beaucoup entre elles. Car je ne saurais rien révoquer

---

1. Il s'agit de parvenir à la notion d'idées innées, toutes les autres idées étant, par l'effet du doute, incertaines et incapables de fonder la moindre réalité.

en doute de ce que la lumière naturelle me fait voir être vrai, ainsi qu'elle m'a tantôt fait voir que de ce que je doutais je pouvais conclure que j'étais, d'autant que je n'ai en moi aucune autre faculté ou puissance pour distinguer le vrai d'avec le faux, qui me puisse enseigner que ce que cette lumière me montre comme vrai ne l'est pas, et à qui je me puisse tant fier qu'à elle. Mais pour ce qui est des inclinations qui me semblent aussi m'être naturelles, j'ai souvent remarqué, lorsqu'il a été question de faire choix entre les vertus et les vices, qu'elles ne m'ont pas moins porté au mal qu'au bien; c'est pourquoi je n'ai pas sujet de les suivre non plus en ce qui regarde le vrai et le faux. Et pour l'autre raison, qui est que ces idées doivent venir d'ailleurs, puisqu'elles ne dépendent pas de ma volonté, je ne la trouve non plus convaincante. Car tout de même que ces inclinations dont je parlais tout maintenant se trouvent en moi, nonobstant qu'elles ne s'accordent pas toujours avec ma volonté, ainsi peut-être qu'il y a en moi quelque faculté ou puissance propre à produire ces idées sans l'aide d'aucunes choses extérieures, bien qu'elle ne me soit pas encore connue; comme en effet il m'a toujours semblé jusques ici que lorsque je dors elles se forment ainsi en moi sans l'aide des objets qu'elles représentent. Et enfin, encore que je demeurasse d'accord qu'elles sont causées par ces objets, ce n'est pas une conséquence nécessaire qu'elles doivent leur être semblables. Au contraire, j'ai souvent remarqué en beaucoup d'exemples qu'il y avait une grande différence entre l'objet et son idée. Comme, par exemple, je trouve en moi deux idées du soleil toutes diverses : l'une tire son origine des sens, et doit être placée dans le genre de celles que j'ai dit ci-dessus venir du dehors, par laquelle il me paraît extrêmement petit; l'autre est prise des raisons de l'astronomie, c'est-à-dire de certaines notions nées avec moi, ou enfin est formée par moi-même de quelque sorte que ce puisse être, par laquelle il me paraît plusieurs fois plus grand que toute la terre. Certes ces deux idées que je conçois du soleil ne peuvent pas être toutes deux semblables au même soleil; et la raison me fait croire que celle qui vient immédiatement de son apparence est celle qui lui est le plus dissemblable. Tout cela me fait assez connaître que jusques à cette heure ce n'a point été par un jugement certain et prémédité, mais seulement par une aveugle et téméraire impulsion, que j'ai cru qu'il y avait des choses hors de moi et différentes de mon être, qui, par les organes de mes sens, ou par quelque autre moyen que ce puisse être, envoyaient en moi leurs idées ou images, et y imprimaient leurs ressemblances.

Mais il se présente encore une autre voie pour rechercher si entre les choses dont j'ai en moi les idées, il y en a quelques-unes qui existent hors de moi; à savoir : si ces idées sont prises en tant seulement que ce sont de certaines façons de penser, je ne reconnais entre elles aucune différence ou inégalité, et toutes me semblent procéder de moi d'une même façon; mais les considérant comme des images, dont les unes représentent une chose et les autres une autre, il est évident qu'elles sont fort différentes les unes des autres. Car en effet celles qui me représentent des substances sont sans doute quelque chose de plus, et contiennent en soi, pour parler ainsi, plus de réalité objective, c'est-à-dire participent par représentation à plus de degrés d'être ou de perfection[1], que celles qui me représentent seulement des modes ou accidents. De plus, celle par laquelle je conçois un Dieu souverain, éternel, infini, immuable, tout connaissant, tout-puissant, et créateur universel de toutes les choses qui sont hors de lui[2]; celle-là, dis-je, a certainement en soi plus de réalité objective que celles par qui les substances finies me sont représentées.

Maintenant c'est une chose manifeste par la lumière naturelle, qu'il doit y avoir pour le moins autant de réalité dans la cause efficiente et totale que dans son effet; car d'où est-ce que l'effet peut tirer sa réalité, sinon de sa cause? et comment cette cause la lui pourrait-elle communiquer si elle ne l'avait en elle-même? Et de là il suit non seulement que le néant[3] ne saurait produire aucune chose, mais aussi que ce qui est plus parfait[4], c'est-à-dire qui contient en soi plus de réalité, ne peut être une suite et une dépendance du moins parfait. Et cette vérité n'est pas seulement claire et évidente dans les effets qui ont cette réalité que les philosophes appellent actuelle ou formelle, mais aussi dans les idées où l'on considère seulement la réalité qu'ils nomment objective; par exemple, la pierre qui n'a point encore été,

1. Intervention des notions scolastiques et théologiques de perfection et du degré d'être (voir Notice, *Descartes et le moyen âge*, p. 13); **2.** Voir critique de Kant; **3.** Le néant a ici un sens négatif très apparent; **4.** La perfection est un terme qui permet, dit Kant, de réintroduire subrepticement l'existence; même remarque pour l'adverbe « éminemment » (v. Notice, p. 14).

non seulement ne peut pas maintenant commencer d'être, si elle n'est produite par une chose qui possède en soi formellement ou éminemment tout ce qui entre en la composition de la pierre, c'est-à-dire qui contienne en soi les mêmes choses, ou d'autres plus excellentes que celles qui sont dans la pierre; et la chaleur ne peut être produite dans un sujet qui en était auparavant privé, si ce n'est par une chose qui soit d'un ordre, d'un degré ou d'un genre au moins aussi parfait que la chaleur, et ainsi des autres. Mais encore, outre cela, l'idée de la chaleur ou de la pierre ne peut pas être en moi, si elle n'y a été mise par quelque cause qui contienne en soi pour le moins autant de réalité que j'en conçois dans la chaleur ou dans la pierre; car, encore que cette cause-là ne transmette en mon idée aucune chose de sa réalité actuelle ou formelle, on ne doit pas pour cela s'imaginer que cette cause doive être moins réelle; mais on doit savoir que toute idée étant un ouvrage de l'esprit, sa nature est telle qu'elle ne demande de soi aucune autre réalité formelle que celle qu'elle reçoit et emprunte de la pensée ou de l'esprit, dont elle est seulement un mode, c'est-à-dire une manière ou façon de penser. Or, afin qu'une idée contienne une telle réalité objective plutôt qu'une autre, elle doit sans doute avoir cela de quelque cause dans laquelle il se rencontre pour le moins autant de réalité formelle que cette idée contient de réalité objective; car si nous supposons qu'il se trouve quelque chose dans une idée qui ne se rencontre pas dans sa cause, il faut donc qu'elle tienne cela du néant[1]. Mais, pour imparfaite que soit cette façon d'être par laquelle une chose est objectivement ou par représentation dans l'entendement par son idée, certes on ne peut pas néanmoins dire que cette façon et manière-là d'être ne soit rien, ni par conséquent que cette idée tire son origine du néant. Et je ne dois pas aussi m'imaginer que la réalité que je considère dans mes idées n'étant qu'objective, il n'est pas nécessaire que la même réalité soit formellement ou actuellement dans les causes de ces idées, mais qu'il suffit qu'elle soit aussi objectivement en elles; car, tout ainsi que cette manière d'être objectivement appartient aux idées de leur propre nature : de même aussi la manière ou

---

1. Voir interprétation de ce néant par l'existentialisme contemporain (Sartre, Merleau-Ponty, déjà cité [v. p. 25, note 1]).

la façon d'être formellement appartient aux causes de ces idées (à tout le moins aux premières et principales) de leur propre nature. Et encore qu'il puisse arriver qu'une idée donne naissance à une autre idée, cela ne peut pas toutefois être à l'infini; mais il faut à la fin parvenir à une première idée, dont la cause soit comme un patron ou un original dans lequel toute la réalité ou perfection soit contenue formellement et en effet, qui se rencontre seulement objectivement ou par représentation dans ces idées. En sorte que la lumière naturelle me fait connaître évidemment que les idées sont en moi comme des tableaux ou des images qui peuvent à la vérité facilement déchoir de la perfection des choses dont elles ont été tirées, mais qui ne peuvent jamais rien contenir de plus grand ou de plus parfait.

Et d'autant plus longuement et soigneusement j'examine toutes ces choses, d'autant plus clairement et distinctement je connais qu'elles sont vraies. Mais, enfin, que conclurai-je de tout cela? C'est à savoir que si la réalité ou perfection objective de quelqu'une de mes idées est telle que je connaisse clairement que cette même réalité ou perfection n'est point en moi ni formellement ni éminemment, et que par conséquent je ne puis moi-même en être la cause, il suit de là nécessairement que je ne suis pas seul dans le monde, mais qu'il y a encore quelque autre chose qui existe et qui est la cause de cette idée[1]; au lieu que, s'il se ne rencontre point en moi de telle idée, je n'aurai aucun argument qui me puisse convaincre et rendre certain de l'existence d'aucune autre chose que de moi-même; car je les ai tous soigneusement recherchés, et je n'en ai pu trouver aucun autre jusqu'à présent.

Or entre toutes ces idées qui sont en moi, outre celles qui me représentent moi-même à moi-même, de laquelle il ne peut y avoir ici aucune difficulté, il y en a une autre qui me représente un Dieu, d'autres des choses corporelles et

1. Le raisonnement cartésien est celui-ci : le cogito, abstrait, donc imparfait, suppose une perfection, donc un concret. Dieu fonde le cogito. Remarquer que ce raisonnement n'est possible que parce que Descartes considère l'acte de penser indépendamment de son contenu, ce qui constitue à l'intérieur du cogito un « appel » à un concret : mais, comme l'a pressenti Kant, ce concret, Dieu, pour Descartes, n'est autre chose que ce réel, cette nature que l'acte d'abstraction était parvenu à éliminer. N'ayant pas démontré la corrélativité du cogito et du réel, Descartes aboutit à la corrélativité du cogito et de Dieu, qui est l'aboutissement de tout idéalisme. Mais Descartes n'est parvenu qu'à prouver un Dieu qui est la nature *(Deus sive natura)*, ce qui revient à approcher de fort près l'hérésie spinoziste (le panthéisme).

inanimées, d'autres des anges, d'autres des animaux, et d'autres enfin qui me représentent des hommes semblables à moi. Mais pour ce qui regarde les idées qui me représentent d'autres hommes ou des animaux, ou des anges, je conçois facilement qu'elles peuvent être formées par le mélange de la composition[1] des autres idées que j'ai des choses corporelles et de Dieu, encore que hors de moi il n'y eût point d'autres hommes dans le monde, ni aucuns animaux, ni aucuns anges. Et pour ce qui regarde les idées des choses corporelles je n'y reconnais rien de si grand ni de si excellent qui ne me semble pouvoir venir de moi-même; car si je les considère de plus près, et si je les examine de la même façon que j'examinai hier l'idée de la cire, je trouve qu'il ne s'y rencontre que fort peu de chose que je conçoive clairement et distinctement, à savoir la grandeur ou bien l'extension en longueur, largeur et profondeur, la figure qui résulte de la terminaison de cette extension, la situation que les corps diversement figurés gardent entre eux, et le mouvement ou le changement de cette situation, auxquelles on peut ajouter la substance, la durée et le nombre. Quant aux autres choses, comme la lumière, les couleurs, les sons, les odeurs, les saveurs, la chaleur, le froid, et les autres qualités qui tombent sous l'attouchement, elles se rencontrent dans ma pensée avec tant d'obscurité et de confusion[2], que j'ignore même si elles sont vraies ou fausses, c'est-à-dire si les idées que je conçois de ces qualités sont en effet les idées de quelques choses réelles, ou bien si elles ne me représentent que des êtres chimériques qui ne peuvent exister. Car encore que j'aie remarqué ci-devant qu'il n'y a que dans les jugements que se puisse rencontrer la vraie et formelle fausseté[3], il se peut néanmoins trouver dans les idées une certaine fausseté matérielle[4], à savoir lorsqu'elles représentent ce qui n'est rien comme si c'était quelque chose. Par exemple, les idées que j'ai du froid et de la chaleur sont si peu claires et si peu distinctes, qu'elles ne me sauraient apprendre si le froid est seulement une privation de la chaleur, ou la chaleur une privation du froid; ou bien si l'une et l'autre sont des qualités réelles, ou si elles ne le sont

---

1. Voir analyse des idées composées (Ire Médit., p. **31**, et IIIe [début]). Descartes ne critique pas l'existence des anges, mais l'idée que nous pouvons en avoir et qui peut être révoquée en doute comme composée; **2.** Parce qu'elles concernent l'union de l'âme et du corps; **3.** Ce point se trouvera développé dans la IVe Médit., p. **66**; **4.** Par rapport à ce qu'il a appelé la « réalité objective ».

pas; et d'autant que les idées étant comme des images, il n'y en peut avoir aucune qui ne nous semble représenter quelque chose, s'il est vrai de dire que le froid ne soit autre chose qu'une privation de la chaleur, l'idée qui me le représente comme quelque chose de réel et de positif ne sera pas mal à propos appelée fausse, et ainsi des autres. Mais, à dire le vrai, il n'est pas nécessaire que je leur attribue d'autre auteur que moi-même; car si elles sont fausses, c'est-à-dire si elles représentent des choses qui ne sont point, la lumière naturelle me fait connaître qu'elles procèdent du néant, c'est-à-dire qu'elles ne sont en moi que parce qu'il manque quelque chose à ma nature, et qu'elle n'est pas toute parfaite; et si ces idées sont vraies, néanmoins, parce qu'elles me font paraître si peu de réalité que même je ne saurais distinguer la chose représentée d'avec le non-être, je ne vois pas pourquoi je ne pourrais point en être l'auteur.

Quant aux idées claires et distinctes que j'ai des choses corporelles, il y en a quelques-unes qu'il semble que j'ai pu tirer de l'idée que j'ai de moi-même, comme celles que j'ai de la substance, de la durée, du nombre, et d'autres choses semblables. Car lorsque je pense que la pierre est une substance, ou bien une chose qui de soi est capable d'exister, et que je suis aussi moi-même une substance, quoique je conçoive bien que je suis une chose qui pense et non étendue, et que la pierre au contraire est une chose étendue et qui ne pense point, et qu'ainsi entre ces deux conceptions il se rencontre une notable différence, toutefois elles semblent convenir en ce point qu'elles représentent toutes deux des substances. De même, quand je pense que je suis maintenant, et que je me ressouviens outre cela d'avoir été autrefois, et que je conçois plusieurs pensées diverses dont je connais le nombre, alors j'acquiers en moi les idées de la durée et du nombre, lesquelles, par après, je puis transférer à toutes les autres choses que je voudrai. Pour ce qui est des autres qualités dont les idées des choses corporelles sont composées, à savoir l'étendue, la figure, la situation et le mouvement, il est vrai qu'elles ne sont point formellement en moi, puisque je ne suis qu'une chose qui pense; mais parce que ce sont seulement de certains modes de la substance, et que je suis moi-même une substance, il semble qu'elles puissent être contenues en moi éminemment.

Partant, il ne reste que la seule idée de Dieu dans laquelle il faut considérer s'il y a quelque chose qui n'ait pu venir de moi-même. Par le nom de Dieu j'entends une substance infinie, éternelle, immuable, indépendante, toute connaissante, toute-puissante, et par laquelle moi-même et toutes les autres choses qui sont (s'il est vrai qu'il y en ait qui existent) ont été créées et produites[1]. Or, ces avantages sont si grands et si éminents, que plus attentivement je les considère, et moins je me persuade que l'idée que j'en ai puisse tirer son origine de moi seul. Et par conséquent il faut nécessairement conclure, de tout ce que j'ai dit auparavant, que Dieu existe ; car, encore que l'idée de la substance soit en moi de cela même que je suis une substance, je n'aurais pas néanmoins l'idée d'une substance infinie, moi qui suis un être fini, si elle n'avait été mise en moi par quelque substance qui fût véritablement infinie.

Et je ne me dois pas imaginer que je ne conçois pas l'infini par une véritable idée, mais seulement par la négation[2] de ce qui est fini, de même que je comprends le repos et les ténèbres par la négation du mouvement et de la lumière ; puisqu'au contraire je vois manifestement qu'il se rencontre plus de réalité dans la substance infinie que dans la substance finie, et partant que j'ai en quelque façon premièrement en moi la notion de l'infini que du fini, c'est-à-dire de Dieu que de moi-même ; car comment serait-il possible que je pusse connaître que je doute et que je désire, c'est-à-dire qu'il me manque quelque chose et que je ne suis pas tout parfait, si je n'avais en moi aucune idée d'un être plus parfait que le mien, par la comparaison duquel je connaîtrais les défauts de ma nature[3] ?

Et l'on ne peut pas dire que peut-être cette idée de Dieu est matériellement fausse, et par conséquent que je la puis tenir du néant, c'est-à-dire qu'elle peut être en moi pour ce que j'ai du défaut, comme j'ai tantôt dit des idées de la chaleur et du froid, et d'autres choses semblables ; car au contraire, cette idée étant fort claire et fort distincte, et contenant en soi plus de réalité objective qu'aucune autre, il n'y en a point qui de soi soit plus vraie, ni qui puisse être moins soupçonnée d'erreur ou de fausseté.

Cette idée, dis-je, d'un être souverainement parfait et infini est très vraie ; car encore que peut-être l'on puisse

---

1. Voir Notice, page 10 ; **2.** Cf. Spinoza : Toute négation est une affirmation ; **3.** En effet, le cogito n'a de sens que par rapport à un concret dont il est « abstrait ».

feindre qu'un tel être n'existe point, on ne peut pas feindre néanmoins que son idée ne me représente rien de réel, comme j'ai tantôt dit de l'idée du froid. Elle est aussi fort claire et fort distincte, puisque tout ce que mon esprit conçoit clairement et distinctement de réel et de vrai, et qui contient en soi quelque perfection, est contenu et renfermé tout entier dans cette idée. Et ceci ne laisse pas d'être vrai, encore que je ne comprenne pas l'infini, et qu'il se rencontre en Dieu une infinité de choses que je ne puis comprendre, ni peut-être aussi atteindre aucunement de la pensée; car il est de la nature de l'infini que moi qui suis fini et borné ne le puisse comprendre; et il suffit que j'entende bien cela, et que je juge que toutes les choses que je conçois clairement, et dans lesquelles je sais qu'il y a quelque perfection, et peut-être aussi une infinité d'autres que j'ignore, sont en Dieu formellement ou éminemment[1], afin que l'idée que j'en ai soit la plus vraie, la plus claire et la plus distincte de toutes celles qui sont en mon esprit.

Mais peut-être aussi que je suis quelque chose de plus que je ne m'imagine, et que toutes les perfections que j'attribue à la nature d'un Dieu sont en quelque façon en moi en puissance[2], quoiqu'elles ne se produisent pas encore et ne se fassent point paraître par leurs actions. En effet, j'expérimente déjà que ma connaissance s'augmente et se perfectionne peu à peu; et je ne vois rien qui puisse empêcher qu'elle ne s'augmente ainsi de plus en plus jusqu'à l'infini, ni aussi pourquoi, étant ainsi accrue et perfectionnée, je ne pourrais pas acquérir par son moyen toutes les autres perfections de la nature divine, ni enfin pourquoi la puissance que j'ai pour l'acquisition de ces perfections, s'il est vrai qu'elle soit maintenant en moi, ne serait pas suffisante pour en produire les idées. Toutefois, en y regardant un peu de près, je reconnais que cela ne peut être; car premièrement, encore qu'il fût vrai que ma connaissance acquît tous les jours de nouveaux degrés de perfection, et qu'il y eût en ma nature beaucoup de choses en ma puissance qui n'y sont pas encore actuellement, toutefois ces avantages n'appartiennent et n'approchent en aucune sorte de l'idée que j'ai de la Divinité, dans laquelle rien ne se rencontre seulement en puissance, mais tout y est actuellement et en

---

1. *Eminemment* : v. p. 51, note 4; 2. Voir, dans la thèse de Gouhier, le développement que Malebranche donne à cette hypothèse.

effet. Et même n'est-ce pas un argument infaillible et très certain d'imperfection en ma connaissance, de ce qu'elle s'accroît peu à peu et qu'elle s'augmente par degrés ? De plus, encore que ma connaissance s'augmentât de plus en plus, néanmoins je ne laisse pas de concevoir qu'elle ne saurait être actuellement infinie, puisqu'elle n'arrivera jamais à un si haut point de perfection qu'elle ne soit encore capable d'acquérir quelque plus grand accroissement. Mais je conçois Dieu actuellement infini en un si haut degré qu'il ne se peut rien ajouter à la souveraine perfection qu'il possède. Et enfin, je comprends fort bien que l'être objectif d'une idée ne peut être produit par un être qui existe seulement en puissance, lequel à proprement parler n'est rien, mais seulement par un être formel ou actuel.

Et certes je ne vois rien en tout ce que je viens de dire qui ne soit très aisé à connaître par la lumière naturelle à tous ceux qui voudront y penser soigneusement ; mais lorsque je relâche quelque chose de mon attention, mon esprit, se trouvant obscurci et comme aveuglé par les images des choses sensibles, ne se ressouvient pas facilement de la raison pourquoi l'idée que j'ai d'un être plus parfait que le mien doit nécessairement avoir été mise en moi par un être qui soit en effet plus parfait. C'est pourquoi je veux ici passer outre, et considérer si moi-même qui ai cette idée de Dieu je pourrais être, en cas qu'il n'y eût point de Dieu. Et je demande, de qui aurais-je mon existence ? Peut-être de moi-même, ou de mes parents, ou bien de quelques autres causes moins parfaites que Dieu ; car on ne se peut rien imaginer de plus parfait, ni même d'égal à lui. Or si j'étais indépendant de tout autre, et que je fusse moi-même l'auteur de mon être, je ne douterais d'aucune chose, je ne concevrais point de désirs : et enfin il ne me manquerait aucune perfection, car je me serais donné moi-même toutes celles dont j'ai en moi quelque idée ; et ainsi je serais Dieu[1]. Et je ne me dois pas imaginer que les choses qui me manquent sont peut-être plus difficiles à acquérir que celles dont je suis déjà en possession ; car, au contraire, il est très certain qu'il a été beaucoup plus difficile que moi, c'est-à-dire une chose ou une substance qui pense, sois sorti du néant, qu'il ne me serait d'acquérir les lumières et les con-

---

1. Voir l'interprétation de cette analyse dans les extraits de Descartes par J.-P. Sartre (édit. des Trois-Collines, Genève)

naissances de plusieurs choses que j'ignore, et qui ne sont que des accidents de cette substance; et certainement si je m'étais donné ce plus que je viens de dire, c'est-à-dire si j'étais moi-même l'auteur de mon être, je ne me serais pas au moins dénié les choses qui se peuvent avoir avec plus de facilité, comme sont une infinité de connaissances dont ma nature se trouve dénuée; je ne me serais pas même dénié aucune des choses que je vois être contenues dans l'idée de Dieu, parce qu'il n'y en a aucune qui me semble plus difficile à faire ou à acquérir; et s'il y en avait quelqu'une qui fût plus difficile, certainement elle me paraîtrait telle (supposé que j'eusse de moi toutes les autres choses que je possède), parce que je verrais en cela ma puissance terminée. Et encore que je puisse supposer que peut-être j'ai toujours été comme je suis maintenant, je ne saurais pas pour cela éviter la force de ce raisonnement, et ne laisse pas de connaître qu'il est nécessaire que Dieu soit l'auteur de mon existence. Car tout le temps de ma vie peut être divisé en une infinité de parties, chacune desquelles ne dépend en aucune façon des autres; et ainsi, de ce qu'un peu auparavant j'ai été, il ne s'ensuit pas que je doive maintenant être, si ce n'est qu'en ce moment quelque cause me produise et me crée pour ainsi dire derechef, c'est-à-dire me conserve[1]. En effet, c'est une chose bien claire et bien évidente à tous ceux qui considéreront avec attention la nature du temps, qu'une substance, pour être conservée dans tous les moments qu'elle dure, a besoin du même pouvoir et de la même action qui serait nécessaire pour la produire et la créer tout de nouveau, si elle n'était point encore; en sorte que c'est une chose que la lumière naturelle nous fait voir clairement, que la conservation et la création ne diffèrent qu'au regard de notre façon de penser, et non point en effet. Il faut donc seulement ici que je m'interroge et me consulte moi-même, pour voir si j'ai en moi quelque pouvoir et quelque vertu au moyen de laquelle je puisse faire que moi qui suis maintenant, je sois encore un moment après; car puisque je ne suis rien qu'une chose qui pense (ou du moins puisqu'il ne s'agit encore jusques ici précisément que de cette partie-là de moi-même[2]), si une telle puissance résidait en moi, certes

---

1. Preuve de Dieu par le temps. Notion de création continuée (voir *Principes*, n° 21, et Notice, page 10); 2. Descartes indique que cette abstraction tient à la méthode et non à la matière de son étude.

je devrais à tout le moins le penser et en avoir connaissance ; mais je n'en ressens aucune dans moi, et par là je connais évidemment que je dépends de quelque être différent de moi.

Mais peut-être que cet être-là duquel je dépends n'est pas Dieu, et que je suis produit ou par mes parents[1] ou par quelques autres causes moins parfaites que lui ? Tant s'en faut, cela ne peut être ; car, comme j'ai déjà dit auparavant, c'est une chose très évidente qu'il doit y avoir pour le moins autant de réalité dans la cause que dans son effet ; et partant, puisque je suis une chose qui pense, et qui ai en moi quelque idée de Dieu, quelle que soit enfin la cause de mon être, il faut nécessairement avouer qu'elle est aussi une chose qui pense, et qu'elle a en soi l'idée de toutes les perfections que j'attribue à Dieu. Puis l'on peut derechef rechercher si cette cause tient son origine et son existence de soi-même ou de quelque autre chose. Car si elle la tient de soi-même, il s'ensuit, par les raisons que j'ai ci-devant alléguées, que cette cause est Dieu, puisque ayant la vertu d'être et d'exister par soi, elle doit aussi sans doute avoir la puissance de posséder actuellement toutes les perfections dont elle a en soi les idées, c'est-à-dire toutes celles que je conçois être en Dieu[2]. Que si elle tient son existence de quelque autre cause que de soi, on demandera derechef, par la même raison de cette seconde cause, si elle est par soi ou par autrui, jusques à ce que de degrés en degrés on parvienne enfin à une dernière cause, qui se trouvera être Dieu. Et il est très manifeste qu'en cela il ne peut y avoir de progrès à l'infini, vu qu'il ne s'agit pas tant ici de la cause qui m'a produit autrefois, comme de celle qui me conserve présentement.

On ne peut pas feindre aussi que peut-être plusieurs causes ont ensemble concouru en partie à ma production, et que de l'une j'ai reçu l'idée d'une des perfections que j'attribue à Dieu, et d'une autre l'idée de quelque autre ; en sorte que toutes ces perfections se trouvent bien à la vérité quelque part dans l'univers, mais ne se rencontrent pas toutes jointes et assemblées dans une seule qui soit Dieu ; car au contraire l'unité, la simplicité, ou l'inséparabilité de toutes les choses qui sont en Dieu, est une des principales perfections que je conçois être en lui ; et certes l'idée de cette unité de toutes les perfections de Dieu n'a pu être mise en

---

1. Il s'agit bien entendu d'une « production » métaphysique sur le plan de l'absolu ; 2. Argument ontologique qui passe de l'*idée* de la cause à sa réalité ou existence.

moi par aucune cause de qui je n'aie point aussi reçu les idées
de toutes les autres perfections ; car elle n'a pu faire que je
les comprisse toutes jointes ensemble et inséparables, sans
avoir fait en sorte en même temps que je susse ce qu'elles
étaient, et que je les connusse toutes en quelque façon.

Enfin, pour ce qui regarde mes parents, desquels il
semble que je tire ma naissance[1], encore que tout ce que
j'en ai jamais pu croire soit véritable, cela ne fait pas toutefois que ce soit eux qui me conservent, ni même m'aient
fait et produit en tant que je suis une chose qui pense, n'y
ayant aucun rapport entre l'action corporelle, par laquelle
j'ai coutume de croire qu'ils m'ont engendré, et la production
d'une telle substance ; mais ce qu'ils ont tout au plus contribué à ma naissance est qu'ils ont mis quelques dispositions
dans cette matière, dans laquelle j'ai jugé jusques ici que
moi, c'est-à-dire mon esprit, lequel seul je prends maintenant pour moi-même, est renfermé ; et partant il ne peut y
avoir ici à leur égard aucune difficulté ; mais il faut nécessairement conclure que, de cela seul que j'existe, et que
l'idée d'un être souverainement parfait, c'est-à-dire de
Dieu, est en moi, l'existence de Dieu est très évidemment
démontrée.

Il me reste seulement à examiner de quelle façon j'ai
acquis cette idée, car je ne l'ai pas reçue par les sens, et
jamais elle ne s'est offerte à moi contre mon attente, ainsi
que font d'ordinaire les idées des choses sensibles, lorsque
ces choses se présentent ou semblent se présenter aux
organes extérieurs des sens ; elle n'est pas aussi une pure
production ou fiction de mon esprit, car il n'est pas en mon
pouvoir d'y diminuer ou d'y ajouter aucune chose ; et par
conséquent il ne reste plus autre chose à dire, sinon que
cette idée est née et produite avec moi dès lors que j'ai été
créé, ainsi que l'est l'idée de moi-même. Et de vrai, on ne
doit pas trouver étrange que Dieu, en me créant, ait mis en
moi cette idée pour être comme la marque de l'ouvrier
empreinte sur son ouvrage ; et il n'est pas aussi nécessaire que
cette marque soit quelque chose de différent de cet ouvrage
même : mais, de cela seul que Dieu m'a créé, il est fort
croyable qu'il m'a en quelque façon produit à son image et
ressemblance, et que je conçois cette ressemblance dans

<hr>

1. Voir p. **60**, note 1.

laquelle l'idée de Dieu se trouve contenue, par la même faculté par laquelle je me conçois moi-même, c'est-à-dire que, lorsque je fais réflexion sur moi, non seulement je connais que je suis une chose imparfaite, incomplète et dépendante d'autrui, qui tend et qui aspire sans cesse à quelque chose de meilleur et de plus grand que je ne suis, mais je connais aussi en même temps que celui duquel je dépends possède en soi toutes ces grandes choses auxquelles j'aspire et dont je trouve en moi les idées, non pas indéfiniment et seulement en puissance, mais qu'il en jouit en effet, actuellement et indéfiniment; et ainsi qu'il est Dieu[1]. Et toute la force de l'argument dont j'ai ici usé pour prouver l'existence de Dieu consiste en ce que je reconnais qu'il ne serait pas possible que ma nature fût telle qu'elle est, c'est-à-dire que j'eusse en moi l'idée d'un Dieu, si Dieu n'existait véritablement; ce même Dieu, dis-je, duquel l'idée est en moi, c'est-à-dire qui possède toutes ces hautes perfections dont notre esprit peut bien avoir quelque légère idée, sans pourtant les pouvoir comprendre, qui n'est sujet à aucuns défauts, et qui n'a rien de toutes les choses qui dénotent quelque imperfection. D'où il est assez évident qu'il ne peut être trompeur, puisque la lumière naturelle nous enseigne que la tromperie dépend nécessairement de quelque défaut.

Mais auparavant que j'examine cela plus soigneusement, et que je passe à la considération des autres vérités que l'on en peut recueillir, il me semble très à propos de m'arrêter quelque temps à la contemplation de ce Dieu tout parfait, de peser tout à loisir ses merveilleux attributs, de considérer, d'admirer et d'adorer l'incomparable beauté de cette immense lumière au moins autant que la force de mon esprit, qui en demeure en quelque sorte ébloui, me le pourra permettre. Car comme la foi nous apprend que la souveraine félicité de l'autre vie ne consiste que dans cette contemplation de la majesté divine, ainsi expérimentons-nous dès maintenant qu'une semblable méditation, quoique incomparablement moins parfaite, nous fait jouir du plus grand contentement que nous soyons capables de ressentir en cette vie[2].

---

1. Malebranche va accentuer encore la simplification de l'argument ontologique et le transformer en argument de « simple vue »; 2. Développé par Malebranche dans la notion de « gloire de Dieu », ce paragraphe sert évidemment de pièce maîtresse aux interprétations idéalistes de Descartes (par ex. celle de Laporte, *le Rationalisme de Descartes*, P. U. F.).

MÉDITATION QUATRIÈME

DU VRAI ET DU FAUX

Je me suis tellement accoutumé ces jours passés à détacher mon esprit des sens, et j'ai si exactement remarqué qu'il y a fort peu de choses que l'on connaisse avec certitude touchant les choses corporelles, qu'il y en a beaucoup plus qui nous sont connues touchant l'esprit humain, et beaucoup plus encore de Dieu même, qu'il me sera maintenant aisé de détourner ma pensée de la considération des choses sensibles ou imaginables, pour la porter à celles qui, étant dégagées de toute matière, sont purement intelligibles[1]. Et certes, l'idée que j'ai de l'esprit humain, en tant qu'il est une chose qui pense, et non étendue en longueur, largeur et profondeur, et qui ne participe à rien de ce qui appartient au corps, est incomparablement plus distincte que l'idée d'aucune chose corporelle ; et lorsque je considère que je doute, c'est-à-dire que je suis une chose incomplète et dépendante, l'idée d'un être complet et indépendant, c'est-à-dire de Dieu, se présente à mon esprit avec tant de distinction et de clarté; et de cela seul que cette idée se trouve en moi, ou bien que je suis ou existe, moi qui possède cette idée, je conclus si évidemment l'existence de Dieu, et que la mienne dépend entièrement de lui en tous les moments de ma vie, que je ne pense pas que l'esprit humain puisse rien connaître avec plus d'évidence et de certitude. Et déjà il me semble que je découvre un chemin qui nous conduira de cette contemplation du vrai Dieu, dans lequel tous les trésors de la science et de la sagesse sont renfermés, à la connaissance des autres choses de l'univers[3].

Car premièrement je reconnais qu'il est impossible que jamais il me trompe, puisqu'en toute fraude et tromperie il se rencontre quelque sorte d'imperfection; et quoiqu'il semble que pouvoir tromper soit une marque de subtilité ou de puissance, toutefois vouloir tromper témoigne sans doute

---

1. Il s'agit de poser le problème de la connaissance, autrement dit de « monnayer » le cogito (H. Dreyfus Le Foyer, cours inédits sur le problème de la connaissance); **2.** Cf. titre de la IIe Méditation ; **3.** Dieu sert à fonder la science.

de la faiblesse ou de la malice, et, partant, cela ne peut se rencontrer en Dieu[1]. Ensuite je connais par ma propre expérience qu'il y a en moi une certaine faculté de juger, ou de discerner le vrai d'avec le faux, laquelle sans doute j'ai reçue de Dieu, aussi bien que tout le reste des choses qui sont en moi et que je possède; et puisqu'il est impossible qu'il veuille me tromper il est certain aussi qu'il ne me l'a pas donnée telle que je puisse jamais faillir lorsque j'en userai comme il faut.

Et il ne resterait aucun doute touchant cela, si l'on n'en pouvait, ce semble, tirer cette conséquence, qu'ainsi je ne me puis jamais tromper; car si tout ce qui est en moi vient de Dieu, et s'il n'a mis en moi aucune faculté de faillir, il semble que je ne me doive jamais abuser. Aussi est-il vrai que, lorsque je me regarde seulement comme venant de Dieu, et que je me tourne tout entier vers lui, je ne découvre en moi aucune cause d'erreur ou de fausseté; mais aussitôt après, revenant à moi, l'expérience me fait connaître que je suis néanmoins sujet à une infinité d'erreurs, desquelles venant à rechercher la cause, je remarque qu'il ne se présente pas seulement à ma pensée une réelle et positive idée de Dieu, ou bien d'un être souverainement parfait; mais aussi, pour ainsi parler, une certaine idée négative du néant, c'est-à-dire de ce qui est infiniment éloigné de toute sorte de perfection; et que je suis comme un milieu entre Dieu et le néant[2], c'est-à-dire placé de telle sorte entre le souverain Être et le non-être, qu'il ne se rencontre de vrai rien en moi qui me puisse conduire dans l'erreur, en tant qu'un souverain Être m'a produit; mais que, si je me considère comme participant en quelque façon du néant ou du non-être[3], c'est-à-dire en tant que je ne suis pas moi-même le souverain Être et qu'il me manque plusieurs choses, je me trouve exposé à une infinité de manquements; de façon que je ne me dois pas étonner si je me trompe. Et ainsi je connais que l'erreur, en tant que telle, n'est pas quelque chose de réel qui dépende de Dieu, mais que c'est seulement un

---

1. Elimination de l'hypothèse du malin génie, qui se traduira par l'affirmation du déterminisme. Sur le plan de la connaissance, il faudra expliquer l'erreur et montrer comment elle est possible, puisque Dieu ne saurait nous tromper; **2.** Sur ce texte se fondent les interprétations existentialistes de Descartes. Cf. Merleau-Ponty, *Phénoménologie de la perception*, préface; **3.** Pour comprendre ce non-être ou ce moins-être, se souvenir que la connaissance, pour Descartes, comporte des degrés selon la clarté atteinte par l'entendement (voir suite de la IVe Méditation).

défaut[1] ; et, partant, que, pour faillir, je n'ai pas besoin d'une faculté qui m'ait été donnée de Dieu particulièrement pour cet effet, mais qu'il arrive que je me trompe de ce que la puissance que Dieu m'a donnée pour discerner le vrai d'avec le faux n'est pas en moi infinie.

Toutefois, cela ne me satisfait pas encore tout à fait, car l'erreur n'est pas une pure négation, c'est-à-dire n'est pas le simple défaut ou manquement de quelque perfection qui ne m'est point due, mais c'est une privation de quelque connaissance qu'il semble que je devrais avoir. Or, en considérant la nature de Dieu, il ne semble pas possible qu'il ait mis en moi quelque faculté qui ne soit pas parfaite en son genre, c'est-à-dire qui manque de quelque perfection qui lui soit due ; car s'il est vrai que plus l'artisan est expert, plus les ouvrages qui sortent de ses mains sont parfaits et accomplis, quelle chose peut avoir été produite par ce souverain Créateur de l'univers qui ne soit parfaite et entièrement achevée en toutes ses parties ? Et certes, il n'y a point de doute que Dieu n'ait pu me créer tel que je ne me trompasse jamais[2] ; il est certain aussi qu'il veut toujours ce qui est le meilleur : est-ce donc une chose meilleure que je puisse me tromper, que de ne le pouvoir pas ?

Considérant cela avec attention, il me vient d'abord en la pensée que je ne me dois pas étonner si je ne suis pas capable de comprendre pourquoi Dieu fait ce qu'il fait, et qu'il ne faut par pour cela douter de son existence, de ce que peut-être je vois par expérience beaucoup d'autres choses qui existent, bien que je ne puisse comprendre pour quelles raisons ni comment Dieu les a faites ; car, sachant déjà que ma nature est extrêmement faible et limitée, et que celle de Dieu au contraire est immense, incompréhensible et infinie, je n'ai plus de peine à reconnaître qu'il y a une infinité de choses en sa puissance desquelles les causes surpassent la portée de mon esprit ; et cette seule raison est suffisante pour me persuader que tout ce genre de causes qu'on a coutume de tirer de la fin n'est d'aucun usage dans les choses physiques ou naturelles ; car il ne me semble pas que je puisse sans témérité rechercher et

---

1. Notamment un défaut de connaissance, qui, cependant, entraîne une adhésion, laquelle conférera à un jugement tronqué, négatif, une allure positive ; **2.** Malebranche alléguera les « volontés générales », et Leibniz l'« harmonie préétablie », toutes formes philosophiques du dogme religieux des « fins impénétrables » de Dieu ou du « credo quia absurdum ». Dans cette philosophie d'idées claires, a-t-on pu dire, c'est la seule idée vraiment obscure.

entreprendre de découvrir les fins impénétrables de Dieu.

De plus, il me vient encore en l'esprit qu'on ne doit pas considérer une seule créature séparément, lorsqu'on recherche si les ouvrages de Dieu sont parfaits, mais généralement toutes les créatures ensemble[1] ; car la même chose qui pourrait peut-être avec quelque sorte de raison sembler fort imparfaite si elle était seule dans le monde, ne laisse pas d'être très parfaite étant considérée comme faisant partie de tout cet univers ; et quoique, depuis que j'ai fait dessein de douter de toutes choses, je n'aie encore connu certainement que mon existence et celle de Dieu, toutefois aussi, depuis que j'ai reconnu l'infinie puissance de Dieu, je ne saurais nier qu'il n'ait produit beaucoup d'autres choses, ou du moins qu'il n'en puisse produire, en sorte que j'existe et sois placé dans le monde comme faisant partie de l'universalité de tous les êtres.

Ensuite de quoi, venant à me regarder de plus près et à considérer quelles sont mes erreurs, lesquelles seules témoignent qu'il y a en moi de l'imperfection, je trouve qu'elles dépendent du concours de deux causes, à savoir : de la faculté de connaître qui est en moi, et de la faculté d'élire, ou bien de mon libre arbitre, c'est-à-dire de mon entendement, et ensemble de ma volonté[2]. Car par l'entendement seul je n'assure ni ne nie aucune chose, mais je conçois seulement les idées des choses que je puis assurer ou nier. Or, en le considérant ainsi précisément, on peut dire qu'il ne se trouve jamais en lui aucune erreur, pourvu qu'on prenne le mot d'erreur en sa propre signification. Et encore qu'il y ait peut-être une infinité de choses dans le monde dont je n'ai aucune idée en mon entendement, on ne peut pas dire pour cela qu'il soit privé de ces idées, comme de quelque chose qui soit dû à sa nature, mais seulement qu'il ne les a pas ; parce qu'en effet il n'y a aucune raison qui puisse prouver que Dieu ait dû me donner une plus grande et plus ample faculté de connaître que celle qu'il m'a donnée : et quelque adroit et savant ouvrier que je me le représente, je ne dois pas pour cela penser qu'il ait dû mettre dans chacun de ses ouvrages toutes les perfections qu'il peut mettre dans quelques-unes. Je ne puis pas aussi

---

1. Autre forme de l'argument des « volontés générales » ; 2. Capitale distinction entre *entendement* et *volonté* (voir Notice, p. 14). L'erreur n'est ni dans l'entendement ni dans la volonté.

me plaindre que Dieu ne m'ait pas donné un libre arbitre
ou une volonté assez ample et assez parfaite, puisqu'en effet
je l'expérimente si ample et si étendue qu'elle n'est renfermée dans aucunes bornes. Et ce qui me semble ici bien
remarquable est que, de toutes les autres choses qui sont
en moi, il n'y en a aucune si parfaite et si grande que je ne
reconnaisse bien qu'elle pourrait être encore plus grande
et plus parfaite. Car, par exemple, si je considère la faculté
de concevoir qui est en moi, je trouve qu'elle est d'une fort
petite étendue, et grandement limitée, et tout ensemble
je me représente l'idée d'une autre faculté beaucoup plus
ample et même infinie; et de cela seul que je puis me représenter son idée, je connais sans difficulté qu'elle appartient
à la nature de Dieu. En même façon si j'examine la mémoire,
ou l'imagination, ou quelque autre faculté qui soit en moi,
je n'en trouve aucune qui ne soit très petite et bornée, et
qui en Dieu ne soit immense et infinie. Il n'y a que la volonté
seule ou la seule liberté du franc arbitre que j'expérimente
en moi être si grande que je ne conçois point l'idée d'aucune
autre plus ample et plus étendue, en sorte que c'est elle
principalement qui me fait connaître que je porte l'image
et la ressemblance de Dieu. Car encore qu'elle soit incomparablement plus grande dans Dieu que dans moi, soit à
raison de la connaissance et de la puissance qui se trouvent
jointes avec elle et qui la rendent plus ferme et plus efficace,
soit à raison de l'objet, d'autant qu'elle se porte et s'étend
infiniment à plus de choses, elle ne me semble pas toutefois
plus grande, si je la considère formellement et précisément
en elle-même. Car elle consiste seulement en ce que nous
pouvons faire une même chose ou ne la faire pas, c'est-à-dire
affirmer ou nier, poursuivre ou fuir une même chose; ou
plutôt elle consiste seulement en ce que, pour affirmer ou
nier, poursuivre ou fuir les choses que l'entendement nous
propose, nous agissons de telle sorte que nous ne sentons
point qu'aucune force extérieure nous y contraigne. Car
afin que je sois libre, il n'est pas nécessaire que je sois
indifférent à choisir l'un ou l'autre des deux contraires[1];
mais plutôt, d'autant plus que je penche vers l'un, soit que je

---

1. Critique célèbre de la liberté d'indifférence. André Gide, qui se piquait de « philosophie »,
ne semblait pas la connaître; son personnage de Lafcadio pose le problème de la liberté de
façon scolastique, ce qui d'ailleurs a une valeur obscurantiste beaucoup plus considérable à
notre époque. Même position du problème chez Sartre, à peu de chose près, dans *les Chemins
de la liberté* (voir la critique de Mougin, dans *la Sainte Famille existentialiste*).

connaisse évidemment que le bien et le vrai s'y rencontrent,
soit que Dieu dispose ainsi l'intérieur de ma pensée, d'autant
plus librement j'en fais choix et je l'embrasse; et certes
la grâce divine et la connaissance naturelle, bien loin de
diminuer ma liberté, l'augmentent plutôt et la fortifient;
de façon que cette indifférence que je sens lorsque je ne
suis point emporté vers un côté plutôt que vers un autre
par le poids d'aucune raison, est le plus bas degré de la
liberté, et fait plutôt paraître un défaut dans la connaissance
qu'une perfection dans la volonté[1]; car si je connaissais
toujours clairement ce qui est vrai et ce qui est bon, je ne
serais jamais en peine de délibérer quel jugement et quel
choix je devrais faire; et ainsi je serais entièrement libre,
sans jamais être indifférent[2].

De tout ceci je reconnais que ni la puissance de vouloir,
laquelle j'ai reçue de Dieu, n'est point d'elle-même la cause
de mes erreurs, car elle est très ample et très parfaite en son
genre; ni aussi la puissance d'entendre ou de concevoir, car
ne concevant rien que par le moyen de cette puissance que
Dieu m'a donnée pour concevoir, sans doute que tout ce que
je conçois, je le conçois comme il faut, et il n'est pas possible
qu'en cela je me trompe.

D'où est-ce donc que naissent mes erreurs ? c'est à savoir
de cela seul que la volonté étant beaucoup plus ample et
plus étendue que l'entendement, je ne la contiens pas dans
les mêmes limites, mais que je l'étends aussi aux choses
que je n'entends pas; auxquelles étant de soi indifférente,
elle s'égare fort aisément, et choisit le faux pour le vrai et
le mal pour le bien; ce qui fait que je me trompe et que je
pèche .

Par exemple, examinant ces jours passés si quelque chose
existait véritablement dans le monde, et connaissant que,
de cela seul que j'examinais cette question, il suivait très
évidemment que j'existais moi-même, je ne pouvais pas
m'empêcher de juger qu'une chose que je concevais si

---

1. L'acte gratuit dénote un défaut dans la connaissance. Ce serait un excellent exercice pour
un élève de distinguer, dans le personnage de Lafcadio ou de Mathieu, dans quel domaine
il faut situer ce défaut de connaissance; **2.** Tout ce passage, d'une très grande importance,
définit aussi la connaissance scientifique comme liberté non indifférente. Le savant est libre
d'affirmer le vrai, non le faux (voir l'*Introduction à la médecine expérimentale*, de Claude
Bernard, chap. II, § 3); **3.** Sur le plan théologique, c'est une solution élégante et légèrement
hérétique (elle frise le molinisme). Sur le plan méthodologique, c'est une invitation
à ne pas se contenter de connaissances qui favorisent l'erreur ou qui autorisent le doute.
Ce n'est donc pas une solution de facilité.

clairement était vraie; non que je m'y trouvasse forcé par aucune cause extérieure, mais seulement parce que d'une grande clarté qui était en mon entendement a suivi une grande inclination en ma volonté ; et je me suis porté à croire avec d'autant plus de liberté que je me suis trouvé avec moins d'indifférence. Au contraire, à présent, je ne connais pas seulement que j'existe en tant que je suis quelque chose qui pense; mais il se présente aussi à mon esprit une certaine idée de la nature corporelle; ce qui fait que je doute si cette nature qui pense, qui est en moi, ou plutôt que je suis moi-même, est différente de cette nature corporelle, ou bien si toutes deux ne sont qu'une même chose; et je suppose ici que je ne connais encore aucune raison qui me persuade plutôt l'un que l'autre; d'où il suit que je suis entièrement indifférent à le nier ou à l'assurer, ou bien même à m'abstenir d'en donner aucun jugement[2].

Et cette indifférence ne s'étend pas seulement aux choses dont l'entendement n'a aucune connaissance, mais généralement aussi à toutes celles qu'il ne découvre pas avec une parfaite clarté au moment que la volonté en délibère; car, pour probables que soient les conjectures qui me rendent enclin à juger quelque chose, la seule connaissance que j'ai que ce ne sont que des conjectures et non des raisons certaines et indubitables, suffit pour me donner occasion de juger le contraire : ce que j'ai suffisamment expérimenté ces jours passés, lorsque j'ai posé pour faux tout ce que j'avais tenu auparavant pour très véritable, pour cela seul que j'ai remarqué que l'on en pouvait en quelque façon douter. Or, si je m'abstiens de donner mon jugement sur une chose lorsque je ne la conçois pas avec assez de clarté et de distinction, il est évident que je fais bien et que je ne suis point trompé; mais si je me détermine à la nier ou assurer, alors je ne me sers pas comme je dois de mon libre arbitre; et si j'assure ce qui n'est pas vrai, il est évident que je me trompe. Même aussi encore que je juge selon la vérité, cela n'arrive que par hasard, et je ne laisse pas de faillir et d'user mal de mon libre arbitre; car la lumière naturelle nous enseigne que la connaissance de l'entendement doit toujours précéder la détermination de la volonté.

---

1. La liberté se trouve ainsi définie comme autonomie; **2.** Le doute est une suspension de jugement qui marque un progrès réel par rapport à l'erreur ou à l'incertitude, mais il correspond à un manque de connaissance, à un contenu douteux. (Voir Notice, p. 15.)

Et c'est dans ce mauvais usage du libre arbitre que se rencontre la privation qui constitue la forme de l'erreur. La privation, dis-je, se rencontre dans l'opération, en tant qu'elle procède de moi[1], mais elle ne se trouve pas dans la faculté que j'ai reçue de Dieu, ni même dans l'opération en tant qu'elle dépend de lui. Car je n'ai certes aucun sujet de me plaindre de ce que Dieu ne m'a pas donné une intelligence plus ample ou une lumière naturelle plus parfaite que celle qu'il m'a donnée, puisqu'il est de la nature d'un entendement fini de ne pas entendre plusieurs choses, et de la nature d'un entendement créé d'être fini : mais j'ai tout sujet de lui rendre grâces de ce que, ne m'ayant jamais rien dû, il m'a néanmoins donné tout le peu de perfections qui est en moi; bien loin de concevoir des sentiments si injustes que de m'imaginer qu'il m'ait ôté ou retenu injustement les autres perfections qu'il ne m'a point données.

Je n'ai pas aussi sujet de me plaindre de ce qu'il m'a donné une volonté plus ample que l'entendement, puisque la volonté ne consistant que dans une seule chose et comme dans un indivisible, il semble que sa nature est telle qu'on ne lui saurait rien ôter sans la détruire; et certes, plus elle a d'étendue, et plus ai-je à remercier la bonté de celui qui me l'a donnée.

Et enfin je ne dois pas aussi me plaindre de ce que Dieu concourt avec moi pour former les actes de cette volonté, c'est-à-dire les jugements dans lesquels je me trompe, parce que ces actes-là sont entièrement vrais et absolument bons, en tant qu'ils dépendent de Dieu; et il y a en quelque sorte plus de perfection en ma nature, de ce que je les puis former, que si je ne le pouvais pas. Pour la privation, dans laquelle seule consiste la raison formelle de l'erreur et du péché, elle n'a besoin d'aucun concours de Dieu, parce que ce n'est pas une chose ou un être, et que si on la rapporte à Dieu comme à sa cause, elle ne doit pas être nommée privation, mais seulement négation, selon la signification qu'on donne à ces mots dans l'école[2]. Car en effet ce n'est point une imperfection en Dieu de ce qu'il m'a donné la liberté de donner mon jugement, ou de ne pas le donner sur certaines choses dont il n'a pas mis une claire et distincte connaissance en mon entendement; mais sans doute c'est en moi une imper-

---

1. *En tant qu'elle procède de moi* : c'est un point essentiel en ce qui concerne la théologie, car c'est la responsabilité du mal; **2.** Scolastique.

fection de ce que je n'use pas bien de cette liberté[1], et que je donne témérairement mon jugement sur des choses que je ne conçois qu'avec obscurité et confusion.

Je vois néanmoins qu'il était aisé à Dieu de faire en sorte que je ne me trompasse jamais, quoique je demeurasse libre et d'une connaissance bornée ; à savoir, s'il eût donné à mon entendement une claire et distincte intelligence de toutes les choses dont je devais jamais délibérer, ou bien seulement s'il eût si profondément gravé dans ma mémoire la résolution de ne juger jamais d'aucune chose sans la concevoir clairement et distinctement, que je ne la puisse jamais oublier. Et je remarque bien qu'en tant que je me considère tout seul, comme s'il n'y avait que moi au monde, j'aurais été beaucoup plus parfait que je ne suis, si Dieu m'avait créé tel que je ne faillisse jamais ; mais je ne puis pas pour cela nier que ce ne soit en quelque façon une plus grande perfection dans l'univers, de ce que quelques-unes de ces parties ne sont pas exemptes de défaut, que d'autres le sont, que si elles étaient toutes semblables.

Et je n'ai aucun droit de me plaindre que Dieu, m'ayant mis au monde, n'ait pas voulu me mettre au rang des choses les plus nobles et les plus parfaites ; même j'ai sujet de me contenter de ce que, s'il ne m'a pas donné la perfection de ne point faillir par le premier moyen que j'ai ci-dessus déclaré, qui dépend d'une claire et évidente connaissance de toutes les choses dont je puis délibérer, il a au moins laissé en ma puissance l'autre moyen, qui est de retenir fermement la résolution de ne jamais donner mon jugement sur les choses dont la vérité ne m'est pas clairement connue ; car quoique j'expérimente en moi cette faiblesse de ne pouvoir attacher continuellement mon esprit à une même pensée, je ne puis toutefois, par une méditation attentive et souvent réitérée, me l'imprimer si fortement en la mémoire, que je ne manque jamais de m'en ressouvenir toutes les fois que j'en aurai besoin, et acquérir de cette façon l'habitude de ne point faillir ; et d'autant que c'est en cela que consiste la plus grande et la principale perfection de l'homme, j'estime

---

1. Comparer avec la théorie de l'erreur de Kant, ou du moins avec sa théorie de l'erreur « métaphysique ». Le jugement qui doit, pour être vrai, disposer d'un contenu, autrement dit être synthétique, devient faux ou perd son sens s'il se borne à être une forme sans matière : il s'érige en « Raison ». Sa loi intérieure, qui assure sa certitude sur le plan scientifique, le transforme en erreur dès qu'il quitte ce plan. C'est la différence kantienne entre l' « entendement » (scientifique) et la « Raison » métaphysique

n'avoir pas aujourd'hui peu gagné par cette méditation, d'avoir découvert la cause de l'erreur et de la fausseté.

Et certes il n'y en peut avoir d'autres que celle que je viens d'expliquer; car toutes les fois que je retiens tellement ma volonté dans les bornes de ma connaissance qu'elle ne fait aucun jugement que de choses qui lui sont clairement et distinctement représentées par l'entendement, il ne se peut faire que je me trompe; parce que toute conception claire et distincte est sans doute quelque chose, et partant elle ne peut tirer son origine du néant, mais doit nécessairement avoir Dieu pour son auteur; Dieu, dis-je, qui, étant souverainement parfait, ne peut être cause d'aucune erreur; et par conséquent il faut conclure qu'une telle conception ou un tel jugement est véritable. Au reste, je n'ai pas seulement appris aujourd'hui ce que je dois éviter pour ne plus faillir, mais aussi ce que je dois faire pour parvenir à la connaissance de la vérité. Car certainement j'y parviendrai, si j'arrête suffisamment mon attention sur toutes les choses que je conçois parfaitement, et si je les sépare des autres que je ne conçois qu'avec confusion et obscurité : à quoi dorénavant je prendrai soigneusement garde.

MÉDITATION CINQUIÈME

DE L'ESSENCE DES CHOSES MATÉRIELLES; ET, DERECHEF, DE DIEU; QU'IL EXISTE

Il me reste beaucoup d'autres choses à examiner touchant les attributs de Dieu et touchant ma propre nature, c'est-à-dire celle de mon esprit; mais j'en reprendrai peut-être une autre fois la recherche. Maintenant, après avoir remarqué ce qu'il faut faire ou éviter pour parvenir à la connaissance de la vérité, ce que j'ai principalement à faire est d'essayer de sortir et me débarrasser de tous les doutes où je suis tombé ces jours passés, et de voir si l'on ne peut rien connaître de certain touchant les choses matérielles. Mais avant que j'examine s'il y a de telles choses qui existent hors de moi, je dois considérer leurs idées , en tant qu'elles

---

1. Il ne s'agit pas encore de démontrer les choses matérielles, mais leur essence.

sont en ma pensée, et voir quelles sont celles qui sont distinctes et quelles sont celles qui sont confuses.

En premier lieu j'imagine distinctement cette quantité que les philosophes appellent vulgairement la quantité continue, ou bien l'extension en longueur, largeur et profondeur, qui est en cette quantité, ou plutôt en la chose à qui on l'attribue. De plus, je puis nombrer en elle plusieurs diverses parties, et attribuer à chacune de ces parties toutes sortes de grandeurs, de figures, de situations et de mouvements ; et enfin je puis assigner à chacun de ces mouvements toutes sortes de durées. Et je ne connais pas seulement ces choses avec distinction, lorsque je les considère ainsi en général ; mais aussi, pour peu que j'y applique mon attention, je viens à connaître une infinité de particularités touchant les nombres, les figures, les mouvements, et autres choses semblables, dont la vérité se fait paraître avec tant d'évidence et s'accorde si bien avec ma nature, que, lorsque je commence à les découvrir, il ne me semble pas que j'apprenne rien de nouveau, mais plutôt que je me ressouviens de ce que je savais déjà auparavant[1], c'est-à-dire que j'aperçois des choses qui étaient déjà dans mon esprit, quoique je n'eusse pas encore tourné ma pensée vers elles. Et ce que je trouve ici de plus considérable, c'est que je trouve en moi une infinité d'idées de certaines choses qui ne peuvent pas être estimées un pur néant, quoique peut-être elles n'aient aucune existence hors de ma pensée, et qui ne sont pas feintes par moi, bien qu'il soit en ma liberté de les penser ou de ne les penser pas, mais qui ont leurs vraies et immuables natures. Comme, par exemple, lorsque j'imagine un triangle, encore qu'il n'y ait peut-être en aucun lieu du monde hors de ma pensée une telle figure, et qu'il n'y en ait jamais eu, il ne laisse pas néanmoins d'y avoir une certaine nature, ou forme, ou essence déterminée de cette figure, laquelle est immuable et éternelle, que je n'ai point inventée, et qui ne dépend en aucune façon de mon esprit ; comme il paraît de ce que l'on peut démontrer diverses propriétés de ce triangle, à savoir, que ses trois angles sont égaux à deux droits, que le plus grand angle est soutenu par le plus grand côté, et autres semblables, lesquelles maintenant, soit que je le veuille ou non, je reconnais très clairement et très

---

1. Il s'agit des idées innées concernant la substance étendue. Voir la critique dans la 1ʳᵉ partie de la *Critique de la raison pure* : Exposition de l'espace.

évidemment être en lui, encore que je n'y aie pensé auparavant en aucune façon, lorsque je me suis imaginé la
première fois un triangle; et partant on ne peut pas dire
que je les aie feintes et inventées. Et je n'ai que faire ici de
m'objecter que peut-être cette idée du triangle est venue
en mon esprit par l'entremise de mes sens[1], pour avoir vu
quelquefois des corps de figure triangulaire; car je puis
former en mon esprit une infinité d'autres figures, dont on
ne peut avoir le moindre soupçon que jamais elles me soient
tombées sous les sens, et je ne laisse pas toutefois de pouvoir
démontrer diverses propriétés touchant leur nature, aussi
bien que touchant celle du triangle; lesquelles, certes,
doivent être toutes vraies, puisque je les conçois clairement;
et partant elles sont quelque chose, et non pas un pur néant;
car il est très évident que tout ce qui est vrai est quelque
chose, « la vérité étant une même chose avec l'être »; et j'ai
déjà amplement démontré ci-dessus que toutes les choses
que je connais clairement et distinctement sont vraies.
Et quoique je ne l'eusse pas démontré, toutefois la nature
de mon esprit est telle que je ne me saurais empêcher de
les estimer vraies, pendant que je les conçois clairement
et distinctement; et je me ressouviens que lors même que
j'étais encore fortement attaché aux objets des sens, j'avais
tenu au nombre des plus constantes vérités celles que je
concevais clairement et distinctement touchant les figures, les
nombres, et les autres choses qui appartiennent à l'arithmétique et à la géométrie[2].

Or maintenant, si de cela seul que je puis tirer de ma
pensée l'idée de quelque chose, il s'ensuit que tout ce que
je reconnais clairement et distinctement appartenir à cette
chose lui appartient en effet, ne puis-je pas tirer de ceci un
argument et une preuve démonstrative de l'existence de
Dieu? Il est certain que je ne trouve pas moins en moi son
idée, c'est-à-dire l'idée d'un être souverainement parfait,
que celle de quelque figure ou de quelque nombre que ce
soit; et je ne connais pas moins clairement et distinctement
qu'une actuelle et éternelle existence appartient à sa nature,
que je connais que tout ce que je puis démontrer de quelque

---

1. Il s'agit de la possibilité d'organiser toutes les figures, c'est-à-dire ce que Kant appellera
une « forme pure *a priori* de la sensibilité »; ici, l'espace; **2.** Il semble bien s'agir ici de
l'espace, bien que Descartes se réfère explicitement aux vérités mathématiques parmi lesquelles
il range aussi les axiomes, et à ce que Kant appellera les schèmes.

figure, ou de quelque nombre, appartient véritablement à la nature de cette figure ou de ce nombre ; et partant, encore que tout ce que j'ai conclu dans les méditations précédentes ne se trouvât point véritable, l'existence de Dieu devrait passer en mon esprit au moins pour aussi certaine que j'ai estimé jusques ici toutes les vérités des mathématiques qui ne regardent que les nombres et les figures, bien qu'à la vérité cela ne paraisse pas d'abord entièrement manifeste, mais semble avoir quelque apparence de sophisme. Car ayant accoutumé dans toutes les autres choses de faire distinction entre l'existence et l'essence, je me persuade aisément que l'existence peut être séparée de l'essence de Dieu, et qu'ainsi on peut concevoir Dieu comme n'étant pas actuellement. Mais néanmoins, lorsque j'y pense avec plus d'attention, je trouve manifestement que l'existence ne peut non plus être séparée de l'essence de Dieu que de l'essence d'un triangle rectiligne la grandeur de ses trois angles égaux à deux droits, ou bien de l'idée d'une montagne l'idée d'une vallée ; en sorte qu'il n'y a pas moins de répugnance de concevoir un Dieu, c'est-à-dire un être souverainement parfait, auquel manque l'existence, c'est-à-dire auquel manque quelque perfection, que de concevoir une montagne qui n'ait point de vallée.

Mais encore qu'en effet je ne puisse pas concevoir un Dieu sans existence, non plus qu'une montagne sans vallée, toutefois, comme de cela seul que je conçois une montagne avec une vallée il ne s'ensuit pas qu'il y ait aucune montagne dans le monde, de même aussi, quoique je conçoive Dieu comme existant, il ne s'ensuit pas, ce semble, pour cela que Dieu existe ; car ma pensée n'impose aucune nécessité aux choses[2] ; et comme il ne tient qu'à moi d'imaginer un cheval ailé, encore qu'il n'y en ait aucun qui ait des ailes, ainsi je pourrais peut-être attribuer l'existence à Dieu, encore qu'il n'y eût aucun Dieu qui existât. Tant s'en faut, c'est ici qu'il y a un sophisme caché sous l'apparence de cette objection ; car de ce que je ne puis concevoir une montagne sans une vallée, il ne s'ensuit pas qu'il y ait au monde aucune montagne ni aucune vallée, mais seulement que la montagne et la vallée, soit qu'il y en ait, soit qu'il n'y

---

1. Voir *Critique* de Kant. La notion d'existence, qu'il faut démontrer, se réintroduit par le mot « perfection » ; **2.** Sur le plan de l'existence.

en ait point , sont inséparables l'une de l'autre; au lieu que de cela seul que je ne puis concevoir Dieu que comme existant, il s'ensuit que l'existence est inséparable de lui, et partant qu'il existe véritablement; non que ma pensée puisse faire que cela soit, ou qu'elle impose aux choses aucune nécessité; mais au contraire la nécessité qui en est la chose même, c'est-à-dire la nécessité de l'existence de Dieu, me détermine à avoir cette pensée. Car il n'est pas en ma liberté de concevoir un Dieu sans existence, c'est-à-dire un Être souverainement parfait sans une souveraine perfection, comme il m'est libre d'imaginer un cheval sans ailes ou avec des ailes.

Et l'on ne doit pas aussi dire ici qu'il est à la vérité nécessaire que j'avoue que Dieu existe, après que j'ai supposé qu'il possède toutes sortes de perfections, puisque l'existence en est une, mais que ma première supposition n'était pas nécessaire; non plus qu'il n'est point nécessaire de penser que toutes les figures de quatre côtés se peuvent inscrire dans le cercle, mais que, supposant que j'aie cette pensée, je suis contraint d'avouer que le rhombe y peut être inscrit, puisque c'est une figure de quatre côtés, et ainsi je serai contraint d'avouer une chose fausse. On ne doit point, dis-je, alléguer cela; car encore qu'il ne soit pas nécessaire que je tombe jamais dans aucune pensée de Dieu, néanmoins, toutes les fois qu'il m'arrive de penser à un Être premier et souverain, et de tirer, pour ainsi dire, son idée du trésor de mon esprit, il est nécessaire que je lui attribue toutes sortes de perfections, quoique je ne vienne pas à les nombrer toutes, et à appliquer mon attention sur chacune d'elles en particulier. Et cette nécessité est suffisante pour faire que par après (sitôt que je viens à reconnaître que l'existence est une perfection) je conclus fort bien que cet Être premier et souverain existe : de même qu'il n'est pas nécessaire que j'imagine jamais aucun triangle; mais toutes les fois que je veux considérer une figure rectiligne composée seulement de trois angles, il est absolument nécessaire que je lui attribue toutes les choses qui servent à conclure que ces trois angles ne sont pas plus grands que deux droits, encore que peut-être je ne considère pas alors cela en particulier.

---

1. La *Critique* de Kant porte sur ce point. L'alternative n'est pas possible dans le cas des vallées; car il y en a. Pour Dieu, au contraire, la liaison prétendument synthétique entre essence et existence se réduit à cette alternative : s'il est, il est; s'il n'est pas, il n'est pas.

Mais quand j'examine quelles figures sont capables d'être inscrites dans le cercle, il n'est en aucune façon nécessaire que je pense que toutes les figures de quatre côtés sont de ce nombre; au contraire, je ne puis pas même feindre que cela soit, tant que je ne voudrai rien recevoir en ma pensée que ce que je pourrai concevoir clairement et distinctement. Et par conséquent il y a une grande différence entre les fausses suppositions, comme est celle-ci, et les véritables idées qui sont nées avec moi, dont la première et principale est celle de Dieu. Car en effet je reconnais en plusieurs façons que cette idée n'est point quelque chose de feint ou d'inventé, dépendant seulement de ma pensée, mais que c'est l'image d'une vraie et immuable nature; premièrement, à cause que je ne saurais concevoir autre chose que Dieu seul, à l'essence de laquelle l'existence appartienne avec nécessité; puis aussi pour ce qu'il ne m'est pas possible de concevoir deux ou plusieurs dieux tels que lui; et posé qu'il y en ait un maintenant qui existe, je vois clairement qu'il est néces- saire qu'il ait été auparavant de toute éternité, et qu'il soit éternellement à l'avenir; et enfin, parce que je conçois plusieurs autres choses en Dieu où je ne puis rien diminuer ni changer.

Au reste, de quelque preuve et argument que je me serve, il en faut toujours revenir là, qu'il n'y a que les choses que je conçois clairement et distinctement qui aient la force de me persuader entièrement. Et quoique, entre les choses que je conçois de cette sorte, il y en ait à la vérité quelques-unes manifestement connues d'un chacun, et qu'il y en ait d'autres aussi qui ne se découvrent qu'à ceux qui les considèrent de plus près et qui les examinent plus exactement, toutefois, après qu'elles sont une fois découvertes, elles ne sont pas estimées moins certaines les unes que les autres, comme, par exemple, en tout triangle rectangle, encore qu'il ne paraisse pas d'abord si facilement que le carré de la base est égal au carré des deux autres côtés, comme il est évident que cette base est opposée au plus grand angle, néanmoins, depuis que cela a été une fois reconnu, on est autant persuadé de la vérité de l'un que de l'autre. Et pour ce qui est de Dieu, certes, si mon esprit n'était prévenu d'aucuns préjugés, et que ma pensée ne se trouvât point divertie par la présence continuelle des images des choses sensibles, il n'y aurait aucune chose que je connusse plus tôt ni plus facilement que lui. Car y a-t-il rien de soi plus clair et plus manifeste que de penser qu'il y a un Dieu, c'est-à-dire un Être souverain et parfait, en l'idée duquel seul l'existence nécessaire ou éternelle est comprise, et par conséquent qui existe? Et quoique, pour bien concevoir cette vérité, j'aie eu besoin d'une grande application d'esprit, toutefois à présent je ne m'en tiens pas seulement aussi assuré que de tout ce qui me semble le plus certain; mais outre cela je remarque que la certitude de toutes les autres choses en dépend si absolument, que sans cette connaissance il est impossible de pouvoir jamais rien savoir parfaitement.

Car encore que je sois d'une telle nature que, dès aussitôt que je comprends quelque chose fort clairement et fort distinctement, je ne puis m'empêcher de la croire vraie, néanmoins, parce que je suis aussi d'une telle nature que je ne puis pas avoir l'esprit continuellement attaché à une même chose, et que souvent je me ressouviens d'avoir jugé une chose être vraie, lorsque je cesse de considérer les raisons qui m'ont obligé à la juger telle, il peut arriver pendant ce temps-là que d'autres raisons se présentent à moi, lesquelles me feraient aisément changer d'opinion, si j'ignorais qu'il y eût un Dieu; et ainsi je n'aurais jamais une vraie et certaine science d'aucune chose que ce soit, mais seulement de vagues et inconstantes opinions. Comme, par exemple, lorsque je considère la nature du triangle rectiligne, je connais évidemment, moi qui suis un peu versé dans la géométrie, que ses trois angles sont égaux à deux droits; et il ne m'est pas possible de ne le point croire, pendant que j'applique ma pensée à sa démonstration; mais aussitôt que je l'en détourne, encore que je me ressouvienne de l'avoir clairement comprise, toutefois il se peut faire aisément que je doute de sa vérité, si j'ignore qu'il y ait un Dieu; car je puis me persuader d'avoir été fait tel par la nature que je me puisse aisément tromper, même dans les choses que je crois comprendre avec le plus d'évidence et de certitude, vu principalement que je me ressouviens d'avoir souvent estimé beaucoup de choses pour vraies et certaines, lesquelles d'autres raisons m'ont par après porté à juger absolument fausses.

Mais après avoir reconnu qu'il y a un Dieu, pour ce qu'en même temps j'ai reconnu aussi que toutes choses dépendent de lui, et qu'il n'est point trompeur, et qu'ensuite de cela j'ai jugé que tout ce que je conçois clairement et distinctement ne peut manquer d'être vrai; encore que je ne pense plus aux raisons pour lesquelles j'ai jugé cela être véritable, pourvu seulement que je me ressouvienne de l'avoir clairement et distinctement compris, on ne me peut apporter aucune raison contraire qui me le fasse jamais révoquer en doute; et ainsi j'en ai une vraie et certaine science[1]. Et cette même science s'étend aussi à toutes les autres choses que je me ressouviens d'avoir autrefois démontrées, comme aux vérités de la géométrie, et autres semblables; car qu'est-ce que l'on me peut objecter pour m'obliger à les révoquer en doute? Sera-ce que ma nature est telle que je suis fort sujet à me méprendre? Mais je sais déjà que je ne puis me tromper dans les jugements dont je connais clairement les raisons. Sera-ce que j'ai estimé autrefois beaucoup de choses pour vraies et pour certaines, que j'ai reconnues par après être fausses? Mais je n'avais connu clairement ni distinctement aucunes de ces choses-là, et, ne sachant point encore cette règle par laquelle je m'assure de la vérité, j'avais été porté à les croire par des raisons que j'ai reconnues depuis être moins fortes que je me les étais pour lors imaginées. Que me pourra-t-on donc objecter davantage? Sera-ce que peut-être je dors (comme je me l'étais moi-même objecté ci-devant), ou bien que toutes les pensées que j'ai maintenant ne sont pas plus vraies que les rêveries que nous imaginons étant endormis? Mais quand bien même je dormirais, tout ce qui se présente à mon esprit avec évidence est absolument véritable.

Et ainsi je reconnais très clairement que la certitude et la vérité de toute science dépend de la seule connaissance du vrai Dieu, en sorte qu'avant que je le connusse je ne pouvais savoir parfaitement aucune autre chose. Et à présent que je le connais, j'ai le moyen d'acquérir une science parfaite touchant une infinité de choses, non seulement de celles qui sont en lui, mais aussi de celles qui appartiennent à la nature corporelle, en tant qu'elle peut servir d'objet aux démonstrations des géomètres, lesquels n'ont point d'égard à son existence.

---

1. Cependant, c'est la seule que Descartes ne songe pas à développer. C'est aussi qu'elle est une science qui n'a d'autre but que de servir de fondement aux autres sciences. Elle lui permet de lever le doute hyperbolique.

MÉDITATION SIXIÈME

DE L'EXISTENCE DES CHOSES MATÉRIELLES, ET DE LA RÉELLE DISTINCTION QUI EST ENTRE L'AME ET LE CORPS DE L'HOMME

Il ne me reste plus maintenant qu'à examiner s'il y a des choses matérielles; et certes, au moins sais-je déjà qu'il y en peut[1] avoir, en tant qu'on les considère comme l'objet des démonstrations de géométrie, vu que de cette façon je les conçois fort clairement et fort distinctement. Car il n'y a point de doute que Dieu n'ait la puissance de produire toutes les choses que je suis capable de concevoir avec distinction; et je n'ai jamais jugé qu'il lui fût impossible de faire quelque chose que par cela seul que je trouvais de la contradiction à la pouvoir bien concevoir. De plus, la faculté d'imaginer qui est en moi, et de laquelle je vois par expérience que je me sers lorsque je m'applique à la considération des choses matérielles, est capable de me persuader leur existence; car, quand je considère attentivement ce que c'est que l'imagination, je trouve qu'elle n'est autre chose qu'une certaine application de la faculté qui connaît au corps qui lui est intimement présent, et partant qui existe.

Et pour rendre cela très manifeste, je remarque premièrement la différence qui est entre l'imagination et la pure intellection ou conception. Par exemple, lorsque j'imagine un triangle, non seulement je conçois que c'est une figure composée de trois lignes, mais avec cela j'envisage ces trois lignes comme présentes par la force et l'application intérieure de mon esprit; et c'est proprement ce que j'appelle imaginer. Que si je veux penser à un chiliogone, je conçois bien à la vérité que c'est une figure composée de mille côtés, aussi facilement que je conçois qu'un triangle est une figure composée de trois côtés seulement; mais je ne puis pas imaginer les mille côtés d'un chiliogone comme je fais les trois d'un triangle, ni pour ainsi dire les regarder comme présents avec les yeux de mon esprit. Et quoique, suivant

---

1. L'étude qui précède est une étude de possibilité; dans le vocabulaire kantien, une analyse « transcendantale ».

la coutume que j'ai de me servir toujours de mon imagination[1] lorsque je pense aux choses corporelles, il arrive qu'en concevant un chiliogone je me représente confusément quelque figure, toutefois il est très évident que cette figure n'est point un chiliogone, puisqu'elle ne diffère nullement de celle que je me représenterais si je pensais à un myriogone ou à quelque autre figure de beaucoup de côtés, et qu'elle ne sert en aucune façon à découvrir les propriétés qui font la différence du chiliogone d'avec les autres polygones. Que s'il est question de considérer un pentagone, il est bien vrai que je puis concevoir sa figure aussi bien que celle d'un chiliogone, sans le secours de l'imagination; mais je la puis aussi imaginer en appliquant l'attention de mon esprit à chacun de ses cinq côtés, et tout ensemble à l'aire ou à l'espace qu'ils renferment. Ainsi je connais clairement que j'ai besoin d'une particulière contention d'esprit pour imaginer, de laquelle je ne me sers point pour concevoir ou pour entendre; et cette particulière contention d'esprit montre évidemment la différence qui est entre l'imagination et l'intellection ou conception pure. Je remarque outre cela que cette vertu d'imaginer qui est en moi, en tant qu'elle diffère de la puissance de concevoir, n'est en aucune façon nécessaire à ma nature ou à mon essence, c'est-à-dire à l'essence de mon esprit; car, encore que je ne l'eusse point, il est sans doute que je demeurerais toujours le même que je suis maintenant : d'où il semble que l'on puisse conclure qu'elle dépend de quelque chose qui diffère de mon esprit[2]. Et je conçois facilement que, si quelque corps existe auquel mon esprit soit tellement conjoint et uni qu'il se puisse appliquer à le considérer quand il lui plaît, il se peut faire que par ce moyen il imagine les choses corporelles; en sorte que cette façon de penser diffère seulement de la pure intellection en ce que l'esprit en concevant se tourne en quelque façon vers soi-même, et considère quelqu'une des idées qu'il a en soi; mais en imaginant il se tourne vers le corps, et considère en lui quelque chose de conforme à l'idée qu'il a lui-même formée, ou qu'il a reçue par les sens. Je conçois, dis-je, aisément que l'imagination se peut faire de cette sorte, s'il est vrai qu'il y ait des corps; et, parce que

---

1. L'*imagination*, c'est donc l'intellection dans la mesure où elle s'applique à l'étendue. Comparer avec la *synthesis speciosa* de Kant; 2. Rappel de l'analyse de la II° Méditation : imaginer, percevoir, sentir, etc., c'est encore penser (p. 40).

je ne puis rencontrer aucune autre voie pour expliquer comment elle se fait, je conjecture de là probablement qu'il y en a; mais ce n'est que probablement; et, quoique j'examine soigneusement toutes choses, je ne trouve pas néanmoins que, de cette idée distincte de la nature corporelle que j'ai en mon imagination, je puisse tirer aucun argument qui conclue avec nécessité l'existence de quelque corps[1].

Or j'ai accoutumé d'imaginer beaucoup d'autres choses outre cette nature corporelle qui est l'objet de la géométrie, à savoir les couleurs, les sons, les saveurs, la douleur, et autres choses semblables, quoique moins distinctement : et d'autant que j'aperçois beaucoup mieux ces choses-là par les sens, par l'entremise desquels et de la mémoire elles semblent être parvenues jusqu'à mon imagination, je crois que, pour les examiner plus commodément, il est à propos que j'examine en même temps ce que c'est que sentir, et que je voie si de ces idées que je reçois en mon esprit par cette façon de penser que j'appelle sentir, je ne pourrai point tirer quelque preuve certaine de l'existence des choses corporelles.

Et premièrement, je rappellerai en ma mémoire quelles sont les choses que j'ai ci-devant tenues pour vraies, comme les ayant reçues par les sens, et sur quels fondements ma créance était appuyée; après, j'examinerai les raisons qui m'ont obligé depuis à les révoquer en doute, et enfin je considérerai ce que j'en dois maintenant croire.

Premièrement donc j'ai senti que j'avais une tête, des mains, des pieds, et tous les autres membres dont est composé ce corps que je considérais comme une partie de moi-même, ou peut-être aussi comme le tout; de plus, j'ai senti que ce corps était placé entre beaucoup d'autres, desquels il était capable de recevoir diverses commodités et incommodités; et je remarquais ces commodités par un certain sentiment de plaisir ou de volupté, et ces incommodités par un sentiment de douleur. Et outre ce plaisir et cette douleur, je ressentais aussi en moi la faim, la soif, et d'autres semblables appétits; comme aussi de certaines inclinations corporelles vers la joie, la tristesse, la colère, et autres semblables passions. Et au dehors, outre l'extension, les figures, les mouvements des corps, je remarquais

---

1. L'imagination serait une preuve de l'existence des corps étendus, mais elle reste insuffisante et ne dispense pas une certitude métaphysique.

en eux de la dureté, de la chaleur, et toutes les autres qualités qui tombent sous l'attouchement; de plus, j'y remarquais de la lumière, des couleurs, des odeurs, des saveurs et des sons, dont la variété me donnait moyen de distinguer le ciel, la terre, la mer, et généralement tous les autres corps les uns d'avec les autres. Et certes, considérant les idées de toutes ces qualités qui se présentaient à ma pensée, et lesquelles seules je sentais proprement et immédiatement, ce n'était pas sans raison que je croyais sentir des choses entièrement différentes de ma pensée, à savoir, des corps d'où procédaient ces idées; car j'expérimentais qu'elles se présentaient à elle sans que mon consentement y fût requis, en sorte que je ne pouvais sentir aucun objet, quelque volonté que j'en eusse, s'il ne se trouvait présent à l'organe d'un de mes sens, et il n'était nullement en mon pouvoir de ne le pas sentir lorsqu'il s'y trouvait présent[1]. Et parce que les idées que je recevais par les sens étaient beaucoup plus vives, plus expresses, et même à leur façon plus distinctes qu'aucune de celles que je pouvais feindre de moi-même en méditant, ou bien que je trouvais imprimées en ma mémoire, il semblait qu'elles ne pouvaient procéder de mon esprit; de façon qu'il était nécessaire qu'elles fussent causées en moi par quelques autres choses. Desquelles choses n'ayant aucune connaissance, sinon celle que me donnaient ces mêmes idées, il ne me pouvait venir autre chose en l'esprit, sinon que ces choses-là étaient semblables aux idées qu'elles causaient. Et pour ce que je me ressouvenais aussi que je m'étais plutôt servi des sens que de ma raison, et que je reconnaissais que les idées que je formais de moi-même n'étaient pas si expresses que celles que je recevais par les sens, et même qu'elles étaient le plus souvent composées des parties de celles-ci, je me persuadais aisément que je n'avais aucune idée dans mon esprit qui n'eût passé auparavant par mes sens[2]. Ce n'était pas aussi sans quelque raison que je croyais que ce corps, lequel par un certain droit particulier j'appelais mien, m'appartenait plus proprement et plus étroitement que pas un autre; car en effet je n'en pouvais jamais être séparé comme des autres corps;

---

1. Noter, en dépit de l'intention d'aboutir à une preuve métaphysique, que cette description est menée en termes de comportement et que toutes ces opérations sont définies comme des conduites, le corps restant un centre de perspective et d'action; 2. Position du sensualisme depuis Protagoras.

je ressentais en lui et pour lui tous mes appétits et toutes mes affections[1]; et enfin j'étais touché des sentiments de plaisir et de douleur en ses parties, et non pas en celles des autres corps, qui en sont séparés. Mais quand j'examinais pourquoi de ce je ne sais quel sentiment de douleur suit la tristesse en l'esprit, et du sentiment de plaisir naît la joie, ou bien pourquoi cette je ne sais quelle émotion de l'estomac, que j'appelle faim, nous fait avoir envie de manger, et la sécheresse du gosier nous fait avoir envie de boire, et ainsi du reste, je n'en pouvais rendre aucune raison, sinon que la nature me l'enseignait de la sorte; car il n'y a certes aucune affinité ni aucun rapport, au moins que je puisse comprendre, entre cette émotion de l'estomac et le désir de manger, non plus qu'entre le sentiment de la chose qui cause de la douleur, et la pensée de tristesse que fait naître ce sentiment. Et, en même façon, il me semblait que j'avais appris de la nature toutes les autres choses que je jugeais touchant les objets de mes sens, pour ce que je remarquais que les jugements que j'avais coutume de faire de ces objets se formaient en moi avant que j'eusse le loisir de peser et considérer aucunes raisons qui me pussent obliger à les faire.

Mais par après, plusieurs expériences ont peu à peu ruiné toute la créance que j'avais ajoutée à mes sens; car j'ai observé plusieurs fois que des tours, qui de loin m'avaient semblé rondes, me paraissaient de près être carrées, et que des colosses élevés sur les plus hauts sommets de ces tours me paraissaient de petites statues à les regarder d'en bas; et ainsi, dans une infinité d'autres rencontres, j'ai trouvé de l'erreur dans les jugements fondés sur les sens extérieurs; et non pas seulement sur les sens extérieurs, mais même sur les intérieurs : car y a-t-il chose plus intime ou plus intérieure que la douleur ? et cependant j'ai autrefois appris de quelques personnes qui avaient les bras et les jambes coupées, qu'il leur semblait encore quelquefois sentir de la douleur dans la partie qu'ils n'avaient plus; ce qui me donnait sujet de penser que je ne pouvais aussi être entièrement assuré d'avoir mal à quelqu'un de mes membres, quoique je sentisse en lui de la douleur. Et à ces raisons de douter j'en ai encore ajouté depuis peu deux autres fort générales : la première est que je n'ai jamais rien cru sentir

---

1. Le corps comme centre de perspective et d'action; **2.** Argument du doute à partir des illusions de la perception et des erreurs de l'entendement.

étant éveillé que je ne puisse quelquefois croire aussi sentir quand je dors; et comme je ne crois pas que les choses qu'il me semble que je sens en dormant procèdent de quelques objets hors de moi, je ne voyais pas pourquoi je devais plutôt avoir cette créance touchant celles qu'il me semble que je sens étant éveillé; et la seconde, que, ne connaissant pas encore ou plutôt feignant de ne pas connaître l'auteur de mon être, je ne voyais rien qui pût empêcher que je n'eusse été fait tel par la nature, que je me trompasse même dans les choses qui me paraissaient les plus véritables. Et, pour les raisons qui m'avaient ci-devant persuadé la vérité des choses sensibles, je n'avais pas beaucoup de peine à y répondre; car la nature semblant me porter à beaucoup de choses dont la raison me détournait, je ne croyais pas me devoir confier beaucoup aux enseignements de cette nature. Et quoique les idées que je reçois par les sens ne dépendent point de ma volonté, je ne pensais pas devoir pour cela conclure qu'elles procédaient de choses différentes de moi, puisque peut-être il se peut rencontrer en moi quelque faculté, bien qu'elle m'ait été jusques ici inconnue, qui en soit la cause et qui les produise[1].

Mais maintenant que je commence à me mieux connaître moi-même et à découvrir plus clairement l'auteur de mon origine, je ne pense pas, à la vérité, que je doive témérairement admettre toutes les choses que les sens semblent nous enseigner, mais je ne pense pas aussi que je les doive toutes généralement révoquer en doute.

Et premièrement, pour ce que je sais que toutes les choses que je conçois clairement et distinctement peuvent être produites par Dieu telles que je les conçois, il suffit que je puisse concevoir clairement et distinctement une chose sans une autre, pour être certain que l'une est distincte ou différente de l'autre, parce qu'elles peuvent être mises séparément, au moins par la toute-puissance de Dieu; et il n'importe par quelle puissance cette séparation se fasse, pour être obligé à les juger différentes; et partant, de cela même que je connais avec certitude que j'existe, et que cependant je ne remarque point qu'il appartienne nécessairement aucune autre chose à ma nature ou à mon essence, sinon que je suis une chose qui pense, je conclus fort bien

---

1. Cf. Iʳᵉ Méditation. Le doute méthodique se trouve levé.

que mon essence consiste en cela seul que je suis une chose qui pense, ou une substance dont toute l'essence ou la nature n'est que de penser. Et quoique peut-être, ou plutôt certainement, comme je le dirai tantôt, j'aie un corps auquel je suis très étroitement conjoint; néanmoins, pour ce que d'un côté j'ai une claire et distincte idée de moi-même, en tant que je suis seulement une chose qui pense et non étendue, et que d'un autre j'ai une idée distincte du corps, en tant qu'il est seulement une chose étendue et qui ne pense point, il est certain que moi, c'est-à-dire mon âme, par laquelle je suis ce que je suis, est entièrement et véritablement distincte de mon corps, et qu'elle peut être ou exister sans lui[1].

De plus, je trouve en moi diverses facultés de penser qui ont chacune leur manière particulière; par exemple, je trouve en moi les facultés d'imaginer et de sentir, sans lesquelles je puis bien me concevoir clairement et distinctement tout entier, mais non pas réciproquement elles sans moi, c'est-à-dire sans une substance intelligente à qui elles soient attachées ou à qui elles appartiennent; car, dans la notion que nous avons de ces facultés, ou, pour me servir des termes de l'école, dans leur concept formel, elles enferment quelque sorte d'intellection; d'où je conçois qu'elles sont distinctes de moi comme les modes le sont des choses. Je connais aussi quelques autres facultés, comme celles de changer de lieu, de prendre diverses situations, et autres semblables, qui ne peuvent être conçues, non plus que les précédentes, sans quelque substance à qui elles soient attachées, ni par conséquent exister sans elle; mais il est très évident que ces facultés, s'il est vrai qu'elles existent, doivent appartenir à quelque substance corporelle ou étendue, et non pas une substance intelligente, puisque, dans leur concept clair et distinct, il y a bien quelque sorte d'extension qui se trouve contenue, mais point du tout d'intelligence[2]. De plus, je ne puis douter qu'il n'y ait en moi une certaine faculté passive de sentir, c'est-à-dire de recevoir et de connaître les idées des choses sensibles; mais elle me serait inutile, et je ne m'en pourrais aucunement servir, s'il n'y avait aussi en moi, ou

---

1. C'est seulement après avoir montré l'existence du corps que Descartes peut tenter de démontrer l'immortalité de l'âme; 2. La substance étendue comporte, dans le vocabulaire scolastique, des modes (manières d'être). Cette substance est démontrée par le même procédé que Dieu dans la IIIe Méditation, à partir, bien entendu, de ce Dieu qui se trouve à présent démontré. (Cf. « ... Dans laquelle toute la réalité... soit contenue formellement ou éminemment ».)

en quelque autre chose, une autre faculté active, capable de former et produire ces idées. Or cette faculté active ne peut être en moi en tant que je ne suis qu'une chose qui pense, vu qu'elle ne présuppose point ma pensée, et aussi que ces idées-là me sont souvent représentées sans que j'y contribue en aucune façon, et même souvent contre mon gré : il faut donc nécessairement qu'elle soit en quelque substance différente de moi, dans laquelle toute la réalité, qui est objectivement dans les idées qui sont produites par cette faculté, soit contenue formellement ou éminemment, comme je l'ai remarqué ci-devant : et cette substance est ou un corps, c'est-à-dire une nature corporelle, dans laquelle est contenu formellement et en effet tout ce qui est objectivement et par représentation dans ces idées[1]; ou bien c'est Dieu même, ou quelque autre créature plus noble que le corps, dans laquelle cela même est contenu éminemment. Or Dieu n'étant point trompeur, il est très manifeste qu'il ne m'envoie point ces idées immédiatement par lui-même, ni aussi par l'entremise de quelque créature dans laquelle leur réalité ne soit pas contenue formellement, mais seulement éminemment. Car ne m'ayant donné aucune faculté pour connaître que cela soit, mais au contraire une très grande inclination à croire qu'elles partent des choses corporelles, je ne vois pas comment on pourrait l'excuser de tromperie, si en effet ces idées partaient d'ailleurs, ou étaient produites par d'autres causes que par des choses corporelles; et partant il faut conclure qu'il y a des choses corporelles qui existent. Toutefois elles ne sont peut-être pas entièrement telles que nous les apercevons par les sens, car il y a bien des choses qui rendent cette perception des sens fort obscure et confuse; mais au moins faut-il avouer que toutes les choses que j'y conçois clairement et distinctement, c'est-à-dire toutes les choses, généralement parlant, qui sont comprises dans l'objet de la géométrie spéculative, s'y rencontrent véritablement.

Mais pour ce qui est des autres choses, lesquelles ou sont seulement particulières, par exemple que le soleil soit de telle grandeur et de telle figure, etc., ou bien sont conçues moins clairement et moins distinctement, comme la lumière, le son, la douleur, et autres semblables, il est certain qu'encore

---

1. Voir p. 86, note 2.

qu'elles soient fort douteuses et incertaines, toutefois de cela seul que Dieu n'est point trompeur, et que par conséquent il n'a point permis qu'il pût y avoir aucune fausseté dans mes opinions qu'il ne m'ait aussi donné quelque faculté capable de la corriger, je crois pouvoir conclure assurément que j'ai en moi les moyens de les connaître avec certitude. Et premièrement, il n'y a point de doute que tout ce que la nature m'enseigne contient quelque vérité; car par la nature, considérée en général, je n'entends maintenant autre chose que Dieu même[1], ou bien l'ordre et la disposition que Dieu a établie dans les choses créées; et par ma nature en particulier, je n'entends autre chose que la complexion ou l'assemblage de toutes les choses que Dieu m'a données.

Or il n'y a rien que cette nature m'enseigne plus expressément ni plus sensiblement, sinon que j'ai un corps qui est mal disposé quand je sens de la douleur, qui a besoin de manger ou de boire quand j'ai les sentiments de la faim ou de la soif, etc. Et partant, je ne dois aucunement douter qu'il n'y ait en cela quelque vérité.

La nature m'enseigne aussi, par ces sentiments de douleur, de faim, de soif, etc., que je ne suis pas seulement logé dans mon corps ainsi qu'un pilote en son navire, mais outre cela que je lui suis conjoint très étroitement, et tellement confondu et mêlé que je compose comme un seul tout avec lui[2]. Car si cela n'était, lorsque mon corps est blessé, je ne sentirais pas pour cela de la douleur, moi qui ne suis qu'une chose qui pense; mais j'apercevrais cette blessure par le seul entendement, comme un pilote aperçoit par la vue si quelque chose se rompt dans son vaisseau. Et lorsque mon corps a besoin de boire ou de manger, je connaîtrais simplement cela même, sans en être averti par des sentiments confus de faim et de soif; car en effet tous ces sentiments de faim, de soif, de douleur, etc., ne sont autre chose que de certaines façons confuses de penser[3], qui proviennent et dépendent de l'union et comme du mélange de l'esprit avec le corps.

---

1. Formule célèbre qui sera développée dans le sens idéaliste par Malebranche; 2. L'union de l'âme et du corps, qui constitue en quelque sorte une troisième substance, laquelle n'est pas connue clairement, mais plutôt vécue, pratiquée (lettre à la princesse Élizabeth du 28 juin 1643); 3. Pensée qui peut être claire sans être distincte (voir *Principes*, I, 46).

Outre cela, la nature m'enseigne que plusieurs autres corps existent autour du mien, desquels j'ai à poursuivre les uns et à fuir les autres. Et certes, de ce que je sens différentes sortes de couleurs, d'odeurs, de saveurs, de sons, de chaleur, de dureté, etc., je conclus fort bien qu'il y a, dans les corps d'où procèdent toutes ces diverses perceptions des sens, quelques variétés qui leur répondent, quoique peut-être ces variétés ne leur soient point en effet semblables ; et de ce qu'entre ces diverses perceptions des sens les unes me sont agréables et les autres désagréables, il n'y a point de doute que mon corps, ou plutôt moi-même tout entier, en tant que je suis composé de corps et d'âme, ne puisse recevoir diverses commodités ou incommodités des autres corps qui l'environnent.

Mais il y a plusieurs autres choses qu'il semble que la nature m'ait enseignées, lesquelles toutefois je n'ai pas véritablement apprises d'elle, mais qui se sont introduites en mon esprit par une certaine coutume que j'ai de juger inconsidérément des choses ; et ainsi il peut aisément arriver qu'elles contiennent quelque fausseté, comme, par exemple, l'opinion que j'ai que tout espace dans lequel il n'y a rien qui meuve et fasse « impression sur » mes sens soit vide ; que dans un corps qui est chaud il y ait quelque chose de semblable à l'idée de la chaleur qui est en moi ; que dans un corps blanc ou noir il y ait la même blancheur ou noirceur que je sens ; que dans un corps amer ou doux il y ait le même goût ou la même saveur, et ainsi des autres ; que les astres, les tours et tous les autres corps éloignés soient de la même figure et grandeur qu'ils paraissent de loin à nos yeux, etc. Mais afin qu'il n'y ait rien en ceci que je ne conçoive distinctement, je dois précisément définir ce que j'entends proprement lorsque je dis que la nature m'enseigne quelque chose. Car je prends ici la nature en une signification plus resserrée que lorsque je l'appelle un assemblage ou une complexion de toutes les choses que Dieu m'a données, vu que cet assemblage ou complexion comprend beaucoup de choses qui n'appartiennent qu'à l'esprit seul, desquelles je n'entends point ici parler en parlant de la nature, comme, par exemple, la notion que j'ai de cette vérité, que ce qui a une fois été fait ne peut plus n'avoir point été fait, et une infinité d'autres semblables, que je connais par la lumière naturelle sans l'aide du corps, et qu'il en comprend aussi plusieurs autres qui n'appartiennent qu'au corps seul, et ne sont point ici non plus contenues sous le nom de nature, comme la qualité qu'il a d'être pesant, et plusieurs autres semblables, desquelles je ne parle pas aussi, mais seulement des choses que Dieu m'a données, comme étant composé d'esprit et de corps. Or cette nature m'apprend bien à fuir les choses qui causent en moi le sentiment de la douleur, et à me porter vers celles qui me font avoir quelque sentiment de plaisir; mais je ne vois point qu'outre cela elle m'apprenne que de ces diverses perceptions des sens nous devions jamais rien conclure touchant les choses qui sont hors de nous, sans que l'esprit les ait soigneusement et mûrement examinées; car c'est, ce me semble, à l'esprit seul, et non point au composé de l'esprit et du corps, qu'il appartient de connaître la vérité de ces choses-là. Ainsi, quoiqu'une étoile ne fasse pas plus d'impression en mon œil que le feu d'une chandelle, il n'y a toutefois en moi aucune faculté réelle ou naturelle qui me porte à croire qu'elle n'est pas plus grande que ce feu; mais je l'ai jugé ainsi dès mes premières années, sans aucun raisonnable fondement. Et quoiqu'en approchant du feu je sente de la chaleur, et même que m'en approchant un peu trop près je ressente de la douleur, il n'y a toutefois aucune raison qui me puisse persuader qu'il y a dans le feu quelque chose de semblable à cette chaleur, non plus qu'à cette douleur; mais seulement j'ai raison de croire qu'il y a quelque chose en lui, quelle qu'elle puisse être, qui excite en moi ces sentiments de chaleur ou de douleur. De même aussi, quoiqu'il y ait des espaces dans lesquels je ne trouve rien qui excite et meuve mes sens, je ne dois pas conclure pour cela que ces espaces ne contiennent en eux aucun corps; mais je vois que tant en ceci qu'en plusieurs autres choses semblables j'ai accoutumé de pervertir et confondre l'ordre de la nature, parce que ces sentiments ou perceptions des sens n'ayant été mises en moi que pour signifier à mon esprit quelles choses sont convenables ou nuisibles au composé dont il est partie, et jusque-là étant assez claires et assez distinctes, je m'en sers néanmoins comme si elles étaient des règles très certaines par lesquelles je pusse connaître immédiatement l'essence et la nature des corps qui sont hors de moi, de laquelle toutefois elles ne me peuvent rien enseigner que de fort obscur et confus.

Mais j'ai déjà ci-devant assez examiné comment, nonobstant la souveraine bonté de Dieu, il arrive qu'il y ait de la fausseté dans les jugements que je fais en cette sorte. Il se présente seulement encore ici une difficulté touchant les choses que la nature m'enseigne devoir être suivies ou évitées, et aussi touchant les sentiments intérieurs qu'elle a mis en moi; car il me semble y avoir quelquefois remarqué de l'erreur, et ainsi que je suis directement trompé par ma nature, comme, par exemple, le goût agréable de quelque viande en laquelle on aura mêlé du poison peut m'inviter à prendre ce poison, et ainsi me tromper. Il est vrai toutefois qu'en ceci la nature peut être excusée, car elle me porte seulement à désirer la viande dans laquelle se rencontre une saveur agréable, et non point à désirer le poison, lequel lui est inconnu; de façon que je ne puis conclure de ceci autre chose sinon que ma nature ne connaît pas entièrement et universellement toutes choses, de quoi certes il n'y a pas lieu de s'étonner, puisque l'homme, étant d'une nature finie, ne peut aussi avoir qu'une connaissance d'une perfection limitée.

Mais nous nous trompons aussi assez souvent, même dans les choses auxquelles nous sommes directement portés par la nature, comme il arrive aux malades, lorsqu'ils désirent de boire ou de manger des choses qui leur peuvent nuire. On dira peut-être ici que ce qui est cause qu'ils se trompent est que leur nature est corrompue; mais cela n'ôte pas la difficulté, car un homme malade n'est pas moins véritablement la créature de Dieu qu'un homme qui est en pleine santé; et partant il répugne autant à la bonté de Dieu qu'il ait une nature trompeuse et fautive que l'autre. Et comme une horloge, composée de roues et de contrepoids, n'observe pas moins exactement toutes les lois de la nature lorsqu'elle est mal faite et qu'elle ne montre pas bien les heures que lorsqu'elle satisfait entièrement au désir de l'ouvrier, de même aussi, si je considère le corps de l'homme comme étant une machine tellement bâtie et composée d'os, de nerfs, de muscles, de veines, de sang et de peau[1], qu'encore bien qu'il n'y eût en lui aucun esprit, il ne laisserait pas de se mouvoir en toutes les mêmes façons qu'il fait à présent, lorsqu'il ne se meut point par la direction de sa

1. Description de l'animal-machine.

volonté, ni par conséquent par l'aide de l'esprit, mais seulement par la disposition de ses organes, je reconnais facilement qu'il serait aussi naturel à ce corps, étant par exemple hydropique, de souffrir la sécheresse du gosier, qui a coutume de porter à l'esprit le sentiment de la soif, et d'être disposé par cette sécheresse à mouvoir ses nerfs et ses autres parties en la façon qui est requise pour boire, et ainsi d'augmenter son mal et se nuire à soi-même, qu'il lui est naturel, lorsqu'il n'a aucune indisposition, d'être porté à boire pour son utilité par une semblable sécheresse de gosier; et quoique, regardant à l'usage auquel une horloge a été destinée par son ouvrier, je puisse dire qu'elle se détourne de sa nature lorsqu'elle ne marque pas bien les heures; et qu'en même façon, considérant la machine du corps humain comme ayant été formée de Dieu pour avoir en soi tous les mouvements qui ont coutume d'y être, j'aie sujet de penser qu'elle ne suit pas l'ordre de sa nature quand son gosier est sec, et que le boire nuit à sa conservation, je reconnais toutefois que cette dernière façon d'expliquer la nature est beaucoup différente de l'autre; car celle-ci n'est autre chose qu'une certaine dénomination extérieure, laquelle dépend entièrement de ma pensée, qui compare un homme malade et une horloge mal faite avec l'idée que j'ai d'un homme sain et d'une horloge bien faite, et laquelle ne signifie rien qui se trouve en effet dans la chose dont elle se dit; au lieu que, par l'autre façon d'expliquer la nature, j'entends quelque chose qui se rencontre véritablement dans les choses, et partant qui n'est point sans quelque vérité.

Mais certes, quoique au regard d'un corps hydropique ce ne soit qu'une dénomination extérieure quand on dit que sa nature est corrompue lorsque, sans avoir besoin de boire, il ne laisse pas d'avoir le gosier sec et aride, toutefois, au regard de tout le composé, c'est-à-dire de l'esprit, ou de l'âme unie au corps, ce n'est pas une pure dénomination, mais bien une véritable erreur de nature, de ce qu'il a soif lorsqu'il lui est très nuisible de boire; et partant il reste encore à examiner comment la bonté de Dieu n'empêche pas que la nature de l'homme, prise de cette sorte, soit fautive et trompeuse.

Pour commencer donc cet examen, je remarque ici, premièrement, qu'il y a une grande différence entre l'esprit et le corps, en ce que le corps, de sa nature, est toujours divisible, et que l'esprit est entièrement indivisible[1]. Car, en effet, quand je le considère, c'est-à-dire quand je me considère moi-même, en tant que je suis seulement une chose qui pense, je ne puis distinguer en moi aucunes parties, mais je connais et conçois fort clairement que je suis une chose absolument une et entière. Et quoique tout l'esprit semble être uni à tout le corps, toutefois lorsqu'un pied, ou un bras, ou quelque autre partie vient à en être séparée, je connais fort bien que rien pour cela n'a été retranché de mon esprit. Et les facultés de vouloir, de sentir, de concevoir, etc., ne peuvent pas non plus être dites proprement ses parties; car c'est le même esprit qui s'emploie tout entier à vouloir, et tout entier à sentir et à concevoir, etc. Mais c'est tout le contraire dans les choses corporelles ou étendues; car je n'en puis imaginer aucune, pour petite qu'elle soit, que je ne mette aisément en pièces par ma pensée, ou que mon esprit ne divise fort facilement en plusieurs parties, et par conséquent que je ne connaisse être divisible. Ce qui suffirait pour m'enseigner que l'esprit ou l'âme de l'homme est entièrement différente du corps, si je ne l'avais déjà d'ailleurs assez appris.

Je remarque aussi que l'esprit ne reçoit pas immédiatement l'impression de toutes les parties du corps, mais seulement du cerveau, ou peut-être même d'une de ses plus petites parties, à savoir de celle où s'exerce cette faculté qu'ils appellent le sens commun, laquelle, toutes les fois qu'elle est disposée de même façon, fait sentir la même chose à l'esprit, quoique cependant les autres parties du corps puissent être diversement disposées, comme le témoignent une infinité d'expériences, lesquelles il n'est pas besoin ici de rapporter.

Je remarque, outre cela, que la nature du corps est telle qu'aucune de ses parties ne peut être mue par une autre partie un peu éloignée, qu'elle ne le puisse être aussi de la même sorte par chacune des parties qui sont entre deux, quoique cette partie plus éloignée n'agisse point. Comme par exemple, dans la corde ABCD, qui est toute tendue, si l'on vient à tirer et remuer la dernière partie D, la première A ne sera pas mue d'une autre façon qu'elle le pourrait aussi

---

1. La divisibilité et l'indivisibilité renvoient aux deux substances, étendue et pensée. Voir abrégé de la IIIe Méditation, page 26. C'est un élément pour la démonstration de l'immortalité de l'âme.

être, si on tirait une des parties moyennes B ou C, et que la dernière D demeurât cependant immobile. Et en même façon, quand je ressens de la douleur au pied, la physique[1] m'apprend que ce sentiment se communique par le moyen des nerfs dispersés dans le pied, qui se trouvant tendus comme des cordes depuis là jusqu'au cerveau, lorsqu'ils sont tirés dans le pied, tirent aussi en même temps l'endroit du cerveau d'où ils viennent et auquel ils aboutissent, et y excitent un certain mouvement que la nature a institué pour faire sentir de la douleur à l'esprit, comme si cette douleur était dans le pied. Mais parce que ces nerfs doivent passer par la jambe, par la cuisse, par les reins, par le dos et par le col, pour s'étendre depuis le pied jusqu'au cerveau, il peut arriver qu'encore bien que leurs extrémités qui sont dans le pied ne soient point remuées, mais seulement quelques-unes de leurs parties qui passent par les reins ou par le col, cela néanmoins excite les mêmes mouvements dans le cerveau qui pourraient y être excités par une blessure reçue dans le pied; ensuite de quoi il sera nécessaire que l'esprit ressente dans le pied la même douleur que s'il y avait reçu une blessure; et il faut juger le semblable de toutes les autres perceptions de nos sens.

Enfin, je remarque que, puisque chacun des mouvements qui se font dans la partie du cerveau dont l'esprit reçoit immédiatement l'impression ne lui fait ressentir qu'un seul sentiment, on ne peut en cela souhaiter ni imaginer rien de mieux, sinon que ce mouvement fait ressentir à l'esprit, entre tous les sentiments qu'il est capable de causer, celui qui est le plus propre et le plus ordinairement utile à la conservation du corps humain lorsqu'il est en pleine santé. Or, l'expérience nous fait connaître que tous les sentiments que la nature nous a donnés sont tels que je viens de dire; et partant il ne se trouve rien en eux qui ne fasse paraître la puissance et la bonté de Dieu. Ainsi, par exemple, lorsque les nerfs qui sont dans le pied sont remués fortement et plus qu'à l'ordinaire, leur mouvement passant par la moelle de l'épine du dos jusqu'au cerveau, y fait là une impression à l'esprit qui lui fait sentir quelque chose, à savoir de la

---

1. Il s'agit bien, en effet, d'une explication physique ou mécanique, car les progrès insuffisants de la chimie font de la médecine de Descartes une « physique ».

douleur, comme étant dans le pied, par laquelle l'esprit est averti et excité à faire son possible pour en chasser la cause, comme très dangereuse et nuisible au pied. Il est vrai que Dieu pouvait établir la nature de l'homme de telle sorte que ce même mouvement dans le cerveau fît sentir toute autre chose à l'esprit; par exemple, qu'il se fît sentir soi-même, ou en tant qu'il est dans le cerveau, ou en tant qu'il est dans le pied, ou bien en tant qu'il est en quelque autre endroit entre le pied et le cerveau, ou enfin quelque autre chose telle qu'elle peut être; mais rien de tout cela n'eût si bien contribué à la conservation du corps que ce qu'il lui fait sentir. De même lorsque nous avons besoin de boire, il naît de là une certaine sécheresse dans le gosier qui remue ses nerfs, et par leur moyen les parties intérieures du cerveau; et ce mouvement fait ressentir à l'esprit le sentiment de la soif, parce qu'en cette occasion-là il n'y a rien qui nous soit plus utile que de savoir que nous avons besoin de boire pour la conservation de notre santé, et ainsi des autres.

D'où il est entièrement manifeste que, nonobstant la souveraine bonté de Dieu, la nature de l'homme, en tant qu'il est composé de l'esprit et du corps, ne peut qu'elle ne soit quelque fois fautive et trompeuse. Car s'il y a quelque cause qui excite, non dans le pied, mais en quelqu'une des parties du nerf qui est tendu depuis le pied jusqu'au cerveau, ou même dans le cerveau, le même mouvement qui se fait ordinairement quand le pied est mal disposé, on sentira de la douleur comme si elle était dans le pied, et le sens sera naturellement trompé; parce qu'un même mouvement dans le cerveau ne pouvant causer en l'esprit qu'un même sentiment, et ce sentiment étant beaucoup plus souvent excité par une cause qui blesse le pied que par une autre qui soit ailleurs, il est bien plus raisonnable qu'il porte toujours à l'esprit la douleur du pied que celle d'aucune autre partie. Et s'il arrive que parfois la sécheresse du gosier ne vienne pas comme à l'ordinaire de ce que le boire est nécessaire pour la santé du corps, mais de quelque cause toute contraire, comme il arrive à ceux qui sont hydropiques, toutefois il est beaucoup mieux qu'elle trompe en cette rencontre-là que si, au contraire, elle trompait toujours lorsque le corps est bien disposé, et ainsi des autres.

Et certes, cette considération me sert beaucoup non

seulement pour reconnaître toutes les erreurs[1] auxquelles ma nature est sujette, mais aussi pour les éviter ou pour les corriger plus facilement; car, sachant que tous mes sens me signifient plus ordinairement le vrai que le faux touchant les choses qui regardent les commodités ou incommodités du corps, et pouvant presque toujours me servir de plusieurs d'entre eux pour examiner une même chose, et, outre cela, pouvant user de ma mémoire pour lier et joindre les connaissances présentes aux passées, et de mon entendement, qui a déjà découvert toutes les causes de mes erreurs, je ne dois plus craindre désormais qu'il se rencontre de la fausseté dans les choses qui me sont le plus ordinairement représentées par mes sens. Et je dois rejeter tous les doutes de ces jours passés, comme hyperboliques et ridicules[2], particulièrement cette incertitude si générale touchant le sommeil, que je ne pouvais distinguer de la veille; car à présent j'y rencontre une très notable différence, en ce que notre mémoire ne peut jamais lier et joindre nos songes les uns avec les autres, et avec toute la suite de notre vie, ainsi qu'elle a de coutume de joindre les choses qui nous arrivent étant éveillés. Et en effet, si quelqu'un, lorsque je veille, m'apparaissait tout soudain et disparaissait de même comme font les images que je vois en dormant, en sorte que je ne pusse remarquer ni d'où il viendrait ni où il irait, ce ne serait pas sans raison que je l'estimerais un spectre ou un fantôme formé dans mon cerveau, et semblable à ceux qui s'y forment quand je dors, plutôt qu'un vrai homme. Mais lorsque j'aperçois des choses dont je connais distinctement et le lieu d'où elles viennent, et celui où elles sont, et le temps auquel elles m'apparaissent, et que sans aucune interruption je puis lier le sentiment que j'en ai avec la suite de tout le reste de ma vie, je suis entièrement assuré que je les aperçois en veillant, et non point dans le sommeil[3]. Et je ne dois en aucune façon douter de la vérité de ces choses-là, si, après avoir appelé tous mes sens, ma mémoire et mon entendement pour les examiner, il ne m'est rien rapporté par aucun d'eux qui ait de la répugnance avec ce qui m'est rapporté par les autres. Car de ce que Dieu n'est point trompeur, il suit nécessairement que je ne suis point en cela trompé.

---

1. Il s'agit ici d'une seconde série d'erreurs, qui tiennent à notre organisation mécanique; **2.** Voir p. 31, note 1 ; **3.** La cohérence permet des jugements de réalité : la définition de cette cohérence se réfère à l'ensemble des connaissances scientifiques.

Mais parce que la nécessité des affaires nous oblige souvent à nous déterminer avant que nous ayons eu le loisir de les examiner si soigneusement, il faut avouer que la vie de l'homme est sujette à faillir fort souvent dans les choses particulières, et enfin il faut reconnaître l'infirmité et la faiblesse de notre nature[1].

---

1. Le finale repenti, en « mineur » dirait-on, est en contradiction avec tout ce qui précède, qui a permis de lever tous les doutes et de fonder la science.

DOCUMENTATION THÉMATIQUE
réunie par la Rédaction des Nouveaux Classiques Larousse

1. DÉBAT SUR LES IDÉES INNÉES ET LES NATURES SIMPLES

1.1. CORRESPONDANCE AVEC LA PRINCESSE ELISABETH

◆ I, ELISABETH A DESCARTES

La Haye, 16 mai 1643

Monsieur Descartes,

J'ai appris, avec beaucoup de joie et de regret l'intention que vous avez eue de me voir, passé quelques jours, touchée également de votre charité de vous vouloir communiquer à une personne ignorante et indocile, et du malheur qui m'a dérobé une conversation si profitable. M. Pallotti a fort augmenté cette dernière passion, en me répétant les solutions que vous lui avez données des obscurités contenues dans la physique de M. Rhegius, desquelles j'aurais été mieux instruite de votre bouche, comme aussi d'une question que je proposai au dit professeur, lorsqu'il fut en cette ville, dont il me renvoya à vous pour en recevoir la satisfaction requise. La honte de vous montrer un style si déréglé m'a empêchée jusqu'ici de vous demander cette faveur par lettre. Mais aujourd'hui, M. Pallotti m'a donné tant d'assurance de votre bonté pour chacun, et particulièrement pour moi, que j'ai chassé toute autre considération de l'esprit, hors celle de m'en prévaloir, en vous priant de me dire comment l'âme de l'homme peut déterminer les esprits du corps, pour faire les actions volontaires (n'étant qu'une substance pensante). Car il semble que toute détermination de mouvement se fait par la pulsion de la chose mue, à manière dont elle est poussée par celle qui la meut, ou bien de la qualification et figure de la superficie de cette dernière. L'attouchement est requis aux deux premières conditions, et l'extension à la troisième. Vous excluez entièrement celle-ci de la notion que vous avez de l'âme, et celui-là me paraît incompatible avec une chose immatérielle. Pourquoi je vous demande une définition de l'âme plus particulière qu'en votre Métaphysique, c'est-à-dire de sa substance, séparée de son action, de la pensée. Car encore que nous les supposions inséparables (qui toutefois est difficile à prouver dans le ventre de la mère et les grands évanouissements), comme les attributs de Dieu, nous pouvons, en les considérant à part, en acquérir une idée plus parfaite.

Vous connaissant le meilleur médecin pour la mienne, je vous découvre si librement les faiblesses de ses spéculations, et espère qu'observant le serment d'Hipocrates, vous y apporterez des remèdes, sans les publier; ce que je vous prie de faire, comme de souffrir ces importunités de

Votre affectionnée amie à vous servir,

ELISABETH.

◆ II, DESCARTES A ELISABETH

Egmond du Hoef, 21 mai 1643

Madame,

La faveur dont Votre Altesse m'a honoré en me faisant recevoir ses commandements par écrit, est plus grande que je n'eusse jamais osé espérer; et elle soulage mieux mes défauts que celle que j'avais souhaitée avec passion, qui était de les recevoir de bouche, si j'eusse pu être admis à l'honneur de vous faire la révérence, et de vous offrir mes très humbles services, lorsque j'étais dernièrement à La Haye. Car j'aurais eu trop de merveilles à admirer en même temps; et voyant sortir des discours plus qu'humains d'un corps si semblable à ceux que les peintres donnent aux anges, j'eusse été ravi de même façon que me semblent le devoir être ceux qui, venant de la terre, entrent nouvellement dans le ciel. Ce qui m'eût rendu moins capable de répondre à Votre Altesse, qui sans doute a déjà remarqué en moi ce défaut, lorsque j'ai eu ci-devant l'honneur de lui parler; et votre clémence l'a voulu soulager, en me laissant les traces de vos pensées sur un papier, où, les relisant plusieurs fois, et m'accoutumant à les considérer, j'en suis véritablement moins ébloui, mais je n'en ai que d'autant plus d'admiration, remarquant qu'elles ne paraissent pas seulement ingénieuses à l'abord, mais d'autant plus judicieuses et solides que plus on les examine.

Et je puis dire avec vérité, que la question que Votre Altesse propose, me semble être celle qu'on me peut demander avec le plus de raison, en suite des écrits que j'ai publiés. Car, y ayant deux choses en l'âme humaine, desquelles dépend toute la connaissance que nous pouvons avoir de sa nature, l'une desquelles est qu'elle pense, l'autre, qu'étant unie au corps, elle peut agir et pâtir avec lui; je n'ai quasi rien dit de cette dernière, et me suis seulement étudié à faire bien entendre la première, à cause que mon principal dessein était de prouver la distinction qui est entre l'âme et le corps; à quoi celle-ci seulement a pu servir, et l'autre y aurait été nuisible. Mais, pour ce que votre Altesse voit si clair, qu'on ne lui peut dissimuler aucune chose, je tâcherai ici d'expliquer la façon dont je conçois l'union de l'âme avec le corps, et comment elle a la force de le mouvoir.

Premièrement, je considère qu'il y a en nous certaines notions primitives, qui sont comme des originaux, sur le patron desquels nous formons toutes nos autres connaissances. Et il n'y a que fort peu de telles notions ; car, après les plus générales, de l'être, du nombre, de la durée, etc..., qui conviennent à tout ce que nous pouvons concevoir, nous n'avons, pour le corps en particulier, que la notion de l'extension, de laquelle suivent celles de la figure et du mouvement ; et pour l'âme seule, nous n'avons que celle de la pensée, en laquelle sont comprises les perceptions de l'entendement et les inclinations de la volonté ; enfin, pour l'âme et le corps ensemble, nous n'avons que celle de leur union, de laquelle dépend celle de la force qu'a l'âme de mouvoir le corps, et le corps d'agir sur l'âme, en causant ses sentiments et ses passions.

Je considère aussi que toute la science des hommes ne consiste qu'à bien distinguer ces notions, et à n'attribuer chacune d'elles qu'aux choses auxquelles elles appartiennent. Car, lorsque nous voulons expliquer quelque difficulté par le moyen d'une notion qui ne lui appartient pas, nous ne pouvons manquer de nous méprendre ; comme aussi lorsque nous voulons expliquer une de ces notions par une autre ; car, étant primitives, chacune d'elles ne peut être entendue que par elle-même. Et d'autant que l'usage des sens nous a rendu les notions de l'extension, des figures et des mouvements, beaucoup plus familières que les autres, la principale cause de nos erreurs est en ce que nous voulons ordinairement nous servir de ces notions, pour expliquer les choses à qui elles n'appartiennent pas, comme lorsqu'on se veut servir de l'imagination pour concevoir la nature de l'âme, ou bien lorsqu'on veut concevoir la façon dont l'âme meut le corps, par celle dont un corps est mû par un autre corps.

C'est pourquoi, puisque, dans les Méditations que votre Altesse a daigné lire, j'ai tâché de faire concevoir les notions qui appartiennent à l'âme seule, les distinguant de celles qui appartiennent au corps seul, la première chose que je dois expliquer ensuite, est la façon de concevoir celles qui appartiennent à l'union de l'âme avec le corps, sans celles qui appartiennent au corps seul ou à l'âme seule. A quoi il me semble que peut servir ce que j'ai écrit à la fin de ma Réponse aux sixièmes objections ; car nous ne pouvons chercher ces notions simples ailleurs qu'en notre âme, qui les a toutes en soi par sa nature, mais qui ne les distingue pas toujours assez les unes des autres, ou bien ne les attribue pas aux objets auxquels on les doit attribuer.

Ainsi je crois que nous avons ci-devant confondu la notion de la force dont l'âme agit dans le corps, avec celle dont un corps agit dans un autre ; et que nous avons attribué l'une et l'autre, non pas à l'âme, car nous ne la connaissions pas encore, mais aux diverses qualités des corps, comme à la pesanteur, à la chaleur et aux autres, que nous avons imaginé être réelles, c'est-à-dire avoir une existence distincte de celle du corps, et par conséquent être des substances, bien que nous les ayons nommées des qualités. Et nous nous sommes servis, pour les concevoir, tantôt des notions qui sont en nous pour connaître le corps, et tantôt de celles qui y sont pour connaître l'âme, selon que ce que nous leur avons attribué a été matériel ou immatériel. Par exemple, en supposant que la pesanteur est une qualité réelle, dont nous n'avons point d'autre connaissance, sinon qu'elle a la force de mouvoir le corps, dans lequel elle est, vers le centre de la terre, nous n'avons pas de peine à concevoir comment elle meut ce corps, ni comment elle lui est jointe ; et nous ne pensons point que cela se fasse par un attouchement réel d'une superficie contre une autre, car nous expérimentons, en nous-mêmes, que nous avons une notion particulière pour concevoir cela ; et je crois que nous usons mal de cette notion, en l'appliquant à la pesanteur, qui n'est rien de réellement distingué du corps, comme j'espère montrer en la Physique, mais qu'elle nous a été donnée pour concevoir la façon dont l'âme meut le corps.

Je témoignerais ne pas assez connaître l'incomparable esprit de votre Altesse, si j'employais davantage de paroles à m'expliquer, et je serais trop présomptueux, si j'osais penser que ma réponse la doive entièrement satisfaire ; mais je tâcherai d'éviter l'un et l'autre, en n'ajoutant rien ici de plus, sinon que, si je suis capable d'écrire ou de dire quelque chose qui lui puisse agréer, je tiendrai toujours à très grande faveur de prendre la plume, ou d'aller à la Haye, pour ce sujet, et qu'il n'y a rien au monde qui me soit si cher que de pouvoir obéir à ses commandements. Mais je ne puis ici trouver place à l'observation du serment d'Hippocrate qu'elle m'enjoint, puisqu'elle ne m'a rien communiqué, qui ne mérite d'être vu et admiré de tous les hommes. Seulement puis-je dire, sur ce sujet, qu'estimant infiniment la vôtre que j'ai reçue, j'en userai comme les avares font de leurs trésors, lesquels ils cachent d'autant plus qu'ils les estiment, et en enviant la vue au reste du monde, ils mettent leur souverain contentement à les regarder. Ainsi je serai bien aise de jouir seul du bien de la voir ; et ma plus grande ambition est de me pouvoir dire, et d'être véritablement, etc...

1.2. LES SIXIÈMES OBJECTIONS ET LES RÉPONSES DE DESCARTES

◆ SIXIÈMES OBJECTIONS

FAITES PAR DIVERS THÉOLOGIENS ET PHILOSOPHES

Après avoir lu avec attention vos Méditations, et les réponses que vous avez faites aux difficultés qui vous ont été ci-devant objectées, il nous reste encore en l'esprit quelques scrupules, dont il est à propos que vous nous releviez.

Le premier est, *qu'il ne semble pas que ce soit un argument fort certain de notre être, de ce que nous pensons. Car, pour être certain que vous pensez, vous devez auparavant savoir quelle est la nature de la pensée et de l'existence; et, dans l'ignorance où vous êtes de ces deux choses, comment pouvez-vous savoir que vous pensez, ou que vous êtes? Puis donc qu'en disant :* je pense, *vous ne savez pas ce que vous dites; et qu'en ajoutant* donc je suis, *vous ne vous entendez pas non plus; que même vous ne savez pas si vous dites ou si vous pensez quelque chose, étant pour cela nécessaire que vous connaissiez que vous savez ce que vous dites, et derechef que vous sachiez que vous connaissez que vous savez ce que vous dites, et ainsi jusques à l'infini, il est évident que vous ne pouvez pas savoir si vous êtes, ou même si vous pensez.*

Mais, pour venir au second scrupule, lorsque vous dites : je pense, donc je suis, *ne pourrait-on pas dire que vous vous trompez, que vous ne pensez point, mais que vous êtes seulement remué, et que ce que vous attribuez à la pensée n'est rien autre chose qu'un mouvement corporel? personne n'ayant encore pu comprendre votre raisonnement, par lequel vous prétendez avoir démontré qu'il n'y a point de mouvement corporel qui puisse légitimement être appelé du nom de pensée. Car pensez-vous avoir tellement coupé et divisé, par le moyen de votre analyse, tous les mouvements de votre matière subtile, que vous soyez assuré, et que vous nous puissiez persuader, à nous qui sommes très attentifs et qui pensons être assez clairvoyants, qu'il y a de la répugnance que nos pensées soient répandues dans ces mouvements corporels?*

Le troisième scrupule *n'est point différent du second; car, bien que quelques Pères de l'Eglise aient cru, avec tous les platoniciens, que les anges étaient corporels, d'où vient que le Concile de Latran a conclu qu'on les pouvait peindre, et qu'ils*

aient eu la même pensée de l'âme raisonnable, que quelques-
uns d'entr'eux ont estimé venir de père à fils, ils ont néan-
moins dit que les anges et que les âmes pensaient ; ce qui
nous fait croire que leur opinion était que la pensée se pouvait
faire par des mouvements corporels, ou que les anges
n'étaient eux-mêmes que des mouvements corporels, dont ils
ne distinguaient point la pensée. Cela se peut aussi confirmer
par les pensées qu'ont les singes, les chiens et les autres ani-
maux ; et de vrai, les chiens aboient en dormant, comme s'ils
poursuivaient des lièvres ou des voleurs ; ils savent aussi fort
bien, en veillant, qu'ils courent, et en rêvant, qu'ils aboient,
quoique nous reconnaissions avec vous qu'il n'y a rien en eux
qui soit distingué du corps. Que si vous dites que les chiens
ne savent pas qu'ils courent, ou qu'ils pensent, outre que vous
le dites sans le prouver, peut-être est-il vrai qu'ils font de nous
un pareil jugement, à savoir, que nous ne savons pas si nous
courons, ou si nous pensons, lorsque nous faisons l'une ou
l'autre de ces actions. Car enfin vous ne voyez pas quelle est
la façon intérieure d'agir qu'ils ont en eux, non plus qu'ils ne
voient pas quelle est la vôtre ; et il s'est trouvé autrefois de
grands personnages, et s'en trouvent encore aujourd'hui, qui
ne dénient pas la raison aux bêtes. Et tant s'en faut que nous
puissions nous persuader que toutes leurs opérations puissent
être suffisamment expliquées par le moyen de la mécanique,
sans leur attribuer ni sens, ni âme, ni vie, qu'au contraire nous
sommes prêts de soutenir, au dédit de ce que l'on voudra,
que c'est une chose tout à fait impossible et même ridicule.
Et enfin, s'il est vrai que les singes, les chiens et les éléphants
agissent de cette sorte dans toutes leurs opérations, il s'en
trouvera plusieurs qui diront que toutes les actions de
l'homme sont aussi semblables à celles des machines, et qui
ne voudront plus admettre en lui de sens ni d'entendement ;
vu que, si la faible raison des bêtes diffère de celle de
l'homme, ce n'est que par le plus et le moins, qui ne change
point la nature des choses.

Le quatrième scrupule *est touchant la science d'un athée,*
laquelle il soutient être très certaine, et même, selon votre
règle, très évidente, lorsqu'il assure que, si de choses égales
on ôte choses égales, les restes seront égaux ; ou bien que les
trois angles d'un triangle rectiligne sont égaux à deux droits,
et autres choses semblables ; puisqu'il ne peut penser à ces
choses sans croire qu'elles sont très certaines. Ce qu'il main-
tient être si véritable, qu'encore bien qu'il n'y eût point de
Dieu, ou même qu'il fut impossible qu'il y en eût, comme il
s'imagine, il ne se tient pas moins assuré de ces vérités, que
si en effet il y en avait un qui existât. Et de fait, il nie qu'on
lui puisse jamais rien objecter qui lui cause le moindre doute ;

car que lui objecterez-vous? que, s'il y a un Dieu, il le peut décevoir? mais il vous soutiendra qu'il n'est pas possible qu'il puisse jamais être en cela déçu, quand même Dieu y emploierait toute sa puissance.

De ce scrupule en naît un cinquième, qui prend sa force de cette déception que vous voulez dénier entièrement à Dieu. Car, si plusieurs théologiens sont dans ce sentiment, que les damnés, tant les anges que les hommes, sont continuellement déçus par l'idée que Dieu leur a imprimée d'un feu dévorant, en sorte qu'ils croient fermement, et s'imaginent voir et ressentir effectivement, qu'ils sont tourmentés par un feu qui les consume, quoi qu'en effet il n'y en ait point, Dieu ne peut-il pas nous décevoir par de semblables espèces, et nous imposer continuellement, imprimant sans cesse dans nos âmes de ces fausses et trompeuses idées? en sorte que nous pensions voir très clairement, et toucher de chacun de nos sens, des choses qui toutefois ne sont rien hors de nous, étant véritable qu'il n'y a point de ciel, point d'astres, point de terre, et que nous n'avons point de bras, point de pieds, point d'yeux, etc. Et certes, quand il en userait ainsi, il ne pourrait être blâmé d'injustice, et nous n'aurions aucun sujet de nous plaindre de lui, puisqu'étant le Souverain Seigneur de toutes choses, il peut disposer de tout comme il lui plaît ; vu principalement qu'il semble avoir le droit de faire, pour abaisser l'arrogance des hommes, châtier leurs crimes, ou punir le péché de leur premier père, ou pour d'autres raisons qui nous sont inconnues. Et de vrai, il semble que cela se confirme par ces lieux de l'Ecriture, qui prouvent que l'homme ne peut rien savoir, comme il paraît par ce texte de l'Apôtre à la première aux Corinth., chapitre 8, verset 2 : Quiconque estime savoir quelque chose, ne connaît pas encore ce qu'il doit savoir ni comment il doit savoir ; *et par celui de l'Ecclésiaste chapitre 8, verset 17 :* J'ai reconnu que, de tous les ouvrages de Dieu qui se font sous le Soleil, l'homme n'en peut rendre aucune raison, et que, plus il s'efforcera d'en trouver, d'autant moins il en trouvera ; même s'il dit en savoir quelques-unes, il ne les pourra trouver. *Or, que le Sage ait dit cela pour des raisons mûrement considérées, et non point à la hâte et sans y avoir bien pensé, cela se voit par le contenu de tout le Livre, et principalement où il traite la question de l'âme, que vous soutenez être immortelle. Car, au chapitre 3, verset 19, il dit :* Que l'homme et la jument passent de même façon ; *et afin que vous ne disiez pas que cela se doit entendre seulement du corps, il ajoute, un peu après, que* l'homme n'a rien de plus que la jument ; *et venant à parler de l'esprit même de l'homme, il dit qu'*il n'y a personne qui sache s'il monte en haut, c'est-à-dire s'il est immortel, *ou si,* avec ceux des autres animaux, il descend en bas, *c'est-à-dire s'il se corrompt. Et ne dites point qu'il parle en ce lieu-là en la personne des impies : autrement il aurait dû en avertir, et réfuter ce qu'il avait auparavant allégué.* Ne pensez pas aussi vous excuser, en renvoyant aux théologiens d'interpréter l'Ecriture ; car, étant chrétien comme vous êtes, vous devez être prêt de répondre et de satisfaire à tous ceux qui vous objectent quelque chose contre la foi, principalement quand ce qu'on vous objecte choque les principes que vous voulez établir.

Le sixième scrupule *vient de l'indifférence du jugement, ou de la liberté, laquelle tant s'en faut que, selon votre doctrine, elle rende le franc arbitre plus noble et plus parfait, qu'au contraire c'est dans l'indifférence que vous mettez son imperfection ; en sorte que, tout autant de fois que l'entendement connaît clairement et distinctement les choses qu'il faut croire, qu'il faut faire, ou qu'il faut omettre, la volonté pour lors n'est jamais indifférente. Car ne voyez-vous pas que par ces principes vous détruisez entièrement la liberté de Dieu, de laquelle vous ôtez l'indifférence, lorsqu'il crée ce monde-ci plutôt qu'un autre, ou lorsqu'il n'en crée aucun ? étant néanmoins de la foi de croire que Dieu a été de toute éternité indifférent à créer un monde ou plusieurs, ou même à n'en créer pas un. Et qui peut douter que Dieu n'ait toujours vu très clairement toutes les choses qui étaient à faire ou à laisser ? Si bien que l'on ne peut pas dire que la connaissance très claire des choses et leur distincte perception ôte l'indifférence du libre arbitre, laquelle ne conviendrait jamais avec la liberté de Dieu, si elle ne pouvait convenir avec la liberté humaine, étant vrai que les essences des choses, aussi bien que celles des nombres, sont indivisibles et immuables ; et partant, l'indifférence n'est pas moins comprise dans la liberté du franc arbitre de Dieu, que dans la liberté du franc arbitre des hommes.*

Le septième scrupule *sera de la superficie, en laquelle ou par le moyen de laquelle vous dites que se font tous les sentiments. Car nous ne voyons pas comment il se peut faire qu'elle ne soit point partie des corps qui sont aperçus, ni de l'air, ou des vapeurs, ni même l'extrémité d'aucune de ces choses ; et nous n'entendons pas bien encore comment vous pouvez dire qu'il n'y a point d'accidents réels, de quelque corps ou substance que ce soit, qui puissent par la toutepuissance de Dieu être séparés de leur sujet, et exister sans lui, et qui véritablement existent ainsi au Saint Sacrement de l'autel. Toutefois nos docteurs n'ont pas occasion de s'émouvoir beaucoup, jusqu'à ce qu'ils aient vu si, dans cette physique que vous nous promettez, vous aurez suffisamment démontré toutes ces choses; il est vrai qu'ils ont de la peine à croire qu'elle nous les puisse si clairement proposer, que nous les devions désormais embrasser, au préjudice de ce que l'antiquité nous en a appris.*

La réponse que vous avez faite aux cinquièmes objections *a donné lieu au* huitième scrupule. *Et de vrai, comment se peut-il faire que les vérités géométriques ou métaphysiques, telles que sont celles dont vous avez fait mention en ce lieu-là, soient immuables et éternelles, et que néanmoins elles dépendent de Dieu? Car en quel genre de cause peuvent-elles dépendre de lui? Et comment aurait-il pu faire que la nature du triangle ne fut point? ou qu'il n'eût pas été vrai, de toute éternité, que deux fois quatre fussent huit? ou qu'un triangle n'eût pas trois angles? Et partant, ou ces vérités ne dépendent que du seul entendement, lorsqu'il pense, ou elles dépendent de l'existence des choses mêmes, ou bien elles sont indépendantes : vu qu'il ne semble pas possible que Dieu ait pu faire qu'aucune de ces essences ou vérités ne fût pas de toute éternité.*

Enfin le neuvième scrupule *nous semble fort pressant, lorsque vous dites qu'il faut se défier des sens, et que la certitude de l'entendement est beaucoup plus grande que la leur. Car comment cela pourrait-il être, si l'entendement même n'a point d'autre certitude que celle qu'il emprunte des sens bien disposés? Et de fait, ne voit-on pas qu'il ne peut corriger l'erreur d'aucun de nos sens, si, premièrement, un autre ne l'a tiré de l'erreur où il était lui-même? Par exemple, un bâton paraît rompu dans l'eau à cause de la réfraction : qui corrigera cet erreur? sera-ce l'entendement? point du tout, mais le sens du toucher. Il en est de même de tous les autres. Et partant, si une fois vous pouvez avoir tous vos sens bien disposés, et qui vous rapportent toujours la même chose, tenez pour certain que vous acquerrez par leur moyen la plus grande certitude dont un homme soit naturellement capable. Que si vous vous fiez par trop aux raisonnements de votre esprit, assurez-vous d'être souvent trompé; car il arrive assez ordinairement que notre entendement nous trompe en des choses qu'il avait tenues pour indubitables.*

Voilà en quoi consistent nos principales difficultés; à quoi vous ajouterez aussi quelque règle certaine et des marques infaillibles, suivant lesquelles nous puissions connaître avec certitude, quand nous concevons une chose si parfaitement sans l'autre, qu'il soit vrai que l'une soit tellement distincte de l'autre, qu'au moins par la toute-puissance de Dieu elles puissent subsister séparément : c'est-à-dire, en un mot, que vous nous enseigniez comment nous pouvons clairement, distinctement et certainement connaître que cette distinction, que notre entendement forme, ne prend point son fondement dans notre esprit, mais dans les choses mêmes. Car, lorsque nous contemplons l'immensité de Dieu, sans penser à sa justice, ou que nous faisons réflexion sur son existence, sans penser au Fils ou au Saint Esprit, ne concevons-nous pas parfaitement cette existence, ou Dieu même existant, sans ces deux autres personnes, qu'un infidèle peut avec autant de raison nier de la divinité, que vous en avez de dénier au corps l'esprit ou la pensée? Tout ainsi donc que celui-là conclurait mal, qui dirait que le Fils et que le Saint Esprit sont essentiellement distingués du Père, ou qu'ils peuvent être séparés de lui : de même on ne vous concédera jamais que la pensée, ou plutôt que l'esprit humain, soit réellement distingué du corps, quoi que vous conceviez clairement l'un sans l'autre, et que vous puissiez nier l'un de l'autre, et même que vous reconnaissiez que cela ne se fait point par aucune abstraction de votre esprit. Mais certes, si vous satisfaites pleinement à toutes ces difficultés, vous devez être assuré qu'il n'y aura plus rien qui puisse faire ombrage à nos théologiens.

ADDITION

J'ajouterai ici ce que quelques autres m'ont proposé, afin de n'avoir pas besoin d'y répondre séparément ; car leur sujet est presque semblable.

Des personnes de très bon esprit, et de rare doctrine, m'ont fait les trois questions suivantes :

La première est : *comment nous pouvons être assurés que nous avons l'idée claire et distincte de notre âme.*

La seconde : *comment nous pouvons être assurés que cette idée est tout à fait différente des autres choses.*

La troisième : *comment nous pouvons être assurés qu'elle n'a rien en soi de ce qui appartient au corps.*

Ce qui suit m'a aussi été envoyé avec ce titre :

DES PHILOSOPHES ET GÉOMÈTRES
À MONSIEUR DESCARTES

Monsieur,

Quelque soin que nous prenions à examiner si l'idée que nous avons de notre esprit, c'est-à-dire, si la notion ou le concept de l'esprit humain ne contient rien en soi de corporel, nous n'osons pas néanmoins assurer que la pensée ne puisse en aucune façon convenir au corps agité par de secrets mouvements. Car, voyant qu'il y a certains corps qui ne pensent point, et d'autres qui pensent, comme ceux des hommes et peut-être des bêtes, ne passerions-nous pas auprès de vous pour des sophistes, et ne nous accuseriez-vous pas de trop de témérité, si, nonobstant cela, nous voulions conclure qu'il n'y a aucun corps qui pense ? Nous avons même de la peine à ne pas croire que vous auriez eu raison de vous moquer de nous, si nous eussions les premiers forgé cet argument qui parle des idées, et dont vous vous servez pour la preuve d'un Dieu et de la distinction réelle de l'esprit d'avec le corps, et que vous l'eussiez ensuite fait passer par l'examen de votre analyse. Il est vrai que vous paraissez en être si fort prévenu et préoccupé, qu'il semble que vous vous soyez vous-même mis un voile devant l'esprit, qui vous empêche de voir que toutes les opérations et propriétés de l'âme, que vous remarquez être en vous, dépendent purement des mouvements du corps ; ou bien défaites le nœud qui, selon votre jugement, tient nos esprits enchaînés, et les empêche de s'élever au dessus du corps.

Le nœud que nous trouvons en ceci est que nous comprenons fort bien que 2 et 3 joints ensemble font le nombre de 5, et que, si de choses égales on ôte choses égales, les restes seront égaux : nous sommes convaincus par ces vérités et par mille autres, aussi bien que vous ; pourquoi donc ne sommes-nous pas pareillement convaincus par le moyen de vos idées, ou même par les nôtres, que l'âme de l'homme est réellement distincte du corps, et que Dieu existe ? Vous direz peut-être que vous ne pouvez pas nous mettre cette vérité dans l'esprit, si nous ne méditons avec vous ; mais nous avons à vous répondre que nous avons lu plus de sept fois vos Méditations avec une attention d'esprit presque semblable à celle des anges, et que néanmoins nous ne sommes pas encore persuadés. Nous ne pouvons pas toutefois nous persuader que vous veuilliez dire que, tous tant que nous sommes, nous avons l'esprit stupide et grossier comme des bêtes, et du tout inhabile pour les choses métaphysiques, auxquelles il y a trente ans que nous nous exerçons, plutôt que de confesser que les raisons que vous avez tirées des idées de Dieu et de l'esprit, ne sont pas d'un si grand poids et d'une telle autorité, que les hommes savants, qui tâchent, autant qu'ils peuvent, d'élever leur esprit au-dessus de la matière, s'y puissent et s'y doivent entièrement soumettre.

Au contraire, nous estimons que vous confessez le même avec nous, si vous voulez vous donner la peine de relire vos Méditations avec le même esprit, et les passer par le même examen que vous feriez si elles vous avaient été proposées par une personne ennemie. Enfin, puisque nous ne connaissons point jusqu'où se peut étendre la vertu des corps et de leurs mouvements, vu que vous confessez vous-même qu'il n'y a

*personne qui puisse savoir tout ce que Dieu a mis ou peut
mettre dans un sujet, sans une révélation particulière de sa
part, d'où pouvez-vous avoir appris que Dieu n'ait point mis
cette vertu et propriété dans quelques corps, que de penser,
de douter, etc.?*

*Ce sont là, Monsieur, nos arguments, ou, si vous aimez
mieux, nos préjugés, auxquels si vous apportez le remède
nécessaire, nous ne saurions vous exprimer de combien de
grâces nous vous serons redevables, ni quelle sera l'obligation
que nous vous aurons, d'avoir tellement défriché notre esprit,
que de l'avoir rendu capable de recevoir avec fruit la semence
de votre doctrine. Dieu veuille que vous en puissiez venir
heureusement à bout, et nous le prions qu'il lui plaise donner
cette récompense à votre piété, qui ne vous permet pas de
rien entreprendre, que vous ne sacrifiez entièrement à sa
gloire.*

RÉPONSES DE L'AUTEUR

AUX SIXIÈMES OBJECTIONS
FAITES PAR DIVERS THÉOLOGIENS,
PHILOSOPHES ET GÉOMÈTRES

C'est une chose très assurée que personne ne peut être certain s'il pense et s'il existe, si, premièrement, il ne connaît la
nature de la pensée et de l'existence. Non que pour cela il
soit besoin d'une science réfléchie, ou acquise par une
démonstration, et beaucoup moins de la science de cette
science, par laquelle il connaisse qu'il sait, et derechef qu'il
sait qu'il sait, et ainsi jusqu'à l'infini, étant impossible qu'on
en puisse jamais avoir une telle d'aucune chose que ce soit;
mais il suffit qu'il sache cela par cette sorte de connaissance
intérieure qui précède toujours l'acquise, et qui est si naturelle à tous les hommes, en ce qui regarde la pensée et
l'existence, que, bien que peut-être étant aveuglés par
quelques préjugés, et plus attentifs au son des paroles qu'à
leur véritable signification, nous puissions feindre que nous
ne l'avons point, il est néanmoins impossible qu'en effet nous
ne l'ayons. Ainsi donc, lorsque quelqu'un aperçoit qu'il pense
et que de là il suit très évidemment qu'il existe, encore qu'il
ne se soit peut-être jamais auparavant mis en peine de savoir
ce que c'est que la pensée et que l'existence, il ne se peut faire
néanmoins qu'il ne les connaisse assez l'une et l'autre pour
être en cela pleinement satisfait.

2. Il est aussi du tout impossible, que celui qui d'un côté sait
qu'il pense, et qui d'ailleurs connaît ce que c'est que d'être
agité par des mouvements, puisse jamais croire qu'il se

trompe, et qu'en effet il ne pense point, mais qu'il est seulement remué. Car, ayant une idée ou notion toute autre de la pensée que du mouvement corporel, il faut de nécessité qu'il conçoive l'un comme différent de l'autre ; quoique, pour s'être trop accoutumé à attribuer à un même sujet plusieurs propriétés différentes, et qui n'ont entre elles aucune affinité, il se puisse faire qu'il révoque en doute, ou même qu'il assure, que c'est en lui la même chose de penser et d'être mû. Or il faut remarquer que les choses dont nous avons différentes idées, peuvent être prises en deux façons pour une seule et même chose ; c'est à savoir, ou en unité et identité de nature, ou seulement en unité de composition. Ainsi, par exemple, il est bien vrai que l'idée de la figure n'est pas la même que celle du mouvement ; que l'action par laquelle j'entends, est conçue sous une autre idée que celle par laquelle je veux ; que la chair et les os ont des idées différentes ; et que l'idée de la pensée est toute autre que celle de l'extension. Et néanmoins nous concevons fort bien que la même substance ; à qui la figure convient, est aussi capable de mouvement, de sorte qu'être figuré et être mobile n'est qu'une même chose en unité de nature ; comme aussi n'est-ce qu'une même chose, en unité de nature, qui veut et qui entend. Mais il n'en est pas ainsi de la substance que nous considérons sous la forme d'un os, et de celles que nous considérons sous la forme de chair : ce qui fait que nous ne pouvons pas les prendre pour une même chose en unité de nature, mais seulement en unité de composition, en tant que c'est un même animal qui a de la chair et des os. Maintenant la question est de savoir si nous concevons que la chose qui pense et celle qui est étendue, soient un même chose en unité de nature, en sorte que nous trouvions qu'entre la pensée et l'extension, il y ait une pareille connexion et affinité que nous remarquons entre le mouvement et la figure, l'action de l'entendement et celle de la volonté ; ou plutôt si elles ne sont pas appelées une en unité de composition, en tant qu'elles se rencontrent toutes deux en un même homme, comme des os et de la chair en un même animal. Et pour moi, c'est là mon sentiment ; car la distinction ou diversité que je remarque entre la nature d'une chose étendue et celle d'une chose qui pense, ne me paraît pas moindre que celle qui est entre des os et de la chair.

Mais pour ce qu'en cet endroit on se sert d'autorités pour me combattre, je me trouve obligé, pour empêcher qu'elles ne portent aucun préjudice à la vérité, de répondre à ce qu'on m'objecte (*que personne n'a encore pu comprendre ma démonstration*), qu'encore bien qu'il y en ait fort peu qui l'aient soigneusement examinée, il s'en trouve néanmoins quelques-uns qui se persuadent de l'entendre, et qui s'en tiennent entièrement convaincus. Et comme on doit ajouter plus de foi à un seul témoin qui, après avoir voyagé en Amérique, nous dit qu'il a vu des antipodes, qu'à mille autres qui ont nié ci-devant qu'il y en eût, sans en avoir d'autre raison, sinon qu'ils ne le savaient pas : de même ceux qui pèsent comme il faut la valeur des raisons, doivent faire plus d'état de l'autorité d'un seul homme, qui dit entendre fort bien une démonstration, que de celle de mille autres qui disent, sans raison, qu'elle n'a pu encore être comprise de personne. Car, bien qu'ils ne l'entendent point, cela ne fait pas que d'autres ne la puissent entendre : et parce qu'en inférant l'un de l'autre, ils font voir qu'ils ne sont pas assez exacts dans leurs raisonnements, il semble que leur autorité ne doivent pas être beaucoup considérée.

Enfin, à la question qu'on me propose en cet endroit, savoir : *si j'ai tellement coupé et divisé par le moyen de mon analyse tous les mouvements de ma matière subtile, que non seulement je sois assuré, mais même que je puisse faire connaître à des personnes très attentives, et qui pensent être assez clairvoyantes, qu'il y a de la répugnance que nos pensées soient répandues dans des mouvements corporels,* c'est-à-dire, comme je l'estime, que nos pensées soient une même chose avec des mouvements corporels, je réponds que, pour mon particulier, j'en suis très certain, mais que je ne me promets pas pour cela de le pouvoir persuader aux autres, quelque attention qu'ils y apportent et quelque capacité qu'ils pensent avoir, au moins tandis qu'ils n'appliqueront leur esprit qu'aux choses qui sont seulement imaginables, et non point à celles qui sont purement intelligibles : comme il est aisé de voir que ceux-là font, qui s'imaginent que toute la distinction et différence qui est entre la pensée et le mouvement, se doit entendre par la dissection de quelque matière subtile. Car cela ne se peut entendre, sinon lorsqu'on considère que les idées d'une chose qui pense, et d'une chose étendue ou mobile, sont entièrement diverses et indépendantes l'une de l'autre, et qu'il répugne que des choses que nous concevons clairement et distinctement être diverses et indépendantes, ne puissent pas être séparées, au moins par la toute-puissance de Dieu ; de sorte que, tout autant de fois que nous les rencontrons ensemble dans un même sujet, comme la pensée et le mouvement corporel dans un même homme, nous ne devons pas pour cela estimer qu'elles soient une même chose en unité de nature, mais seulement en unité de composition.
3. Ce qui est ici rapporté des platoniciens et de leurs sectateurs, est aujourd'hui tellement décrié par toute l'Eglise catholique, et communément par tous les philosophes, qu'on

ne doit plus s'y arrêter. D'ailleurs il est bien vrai que le Concile de Latran a conclu qu'on pouvait peindre les anges, mais il n'a pas conclu pour cela qu'ils fussent corporels. Et quand en effet on les croirait être tels, on n'aurait pas raison pour cela de penser que leurs esprits fussent plus inséparables de leurs corps que ceux des hommes ; et quand on voudrait aussi feindre que l'âme humaine viendrait de père à fils, on ne pourrait pas pour cela conclure qu'elle fut corporelle, mais seulement que, comme nos corps prennent leur naissance de ceux de nos parents, de même nos âmes procéderaient des leurs. Pour ce qui est des chiens et des singes, quand je leur attribuerais la pensée, il ne s'ensuivrait pas de là que l'âme humaine n'est point distincte du corps, mais plutôt que dans les autres animaux les esprits et les corps sont aussi distingués : ce que les mêmes platoniciens, dont on nous vantait tout maintenant l'autorité, ont estimé avec Pythagore, comme leur métempsycose fait assez connaître. Mais pour moi, je n'ai pas seulement dit que dans les bêtes il n'y avait point de pensée, ainsi qu'on me veut faire accroire, mais outre cela je l'ai prouvé par des raisons qui sont si fortes, que jusques à présent je n'ai vu personne qui ait rien opposé de considérable à l'encontre. Et ce sont plutôt ceux qui assurent *que les chiens savent en veillant qu'ils courent, et même en dormant qu'ils aboient,* et qui en parlent comme s'ils étaient d'intelligence avec eux, et qu'ils vissent tout ce qui se passe dans leurs cœurs, lesquels ne prouvent rien de ce qu'ils disent. Car bien qu'ils ajoutent : *qu'ils ne peuvent pas se persuader que les opérations des bêtes puissent être suffisamment expliquées par le moyen de la mécanique, sans leur attribuer ni sens, ni âme, ni vie* (c'est-à-dire, selon que je l'explique, sans la pensée ; car je ne leur ai jamais dénié ce que vulgairement on appelle vie, âme corporelle, et sens organique), *qu'au contraire ils veulent soutenir, au dédit de ce que l'on voudra, que c'est une chose tout à fait impossible et même ridicule,* cela néanmoins ne doit pas être pris pour une preuve : car il n'y a point de proposition si véritable, dont on ne puisse dire en même façon qu'on ne se la saurait persuader ; et même ce n'est point la coutume d'en venir aux gageures, que lorsque les preuves nous manquent ; et, puisqu'on a vu autrefois de grands hommes qui se sont moqués, d'une façon presque pareille, de ceux qui soutenaient qu'il y avait des antipodes, j'estime qu'il ne faut pas légèrement tenir pour faux tout ce qui semble ridicule à quelques autres.

Enfin, ce qu'on ajoute ensuite : *qu'il s'en trouvera plusieurs qui diront que toutes les actions de l'homme sont semblables à celles des machines, et qui ne voudront plus admettre en lui de sens ni d'entendement, s'il est vrai que les singes, les chiens et les éléphants agissent aussi comme des machines en toutes leurs opérations,* n'est pas aussi une raison qui prouve rien, si ce n'est peut-être qu'il y a des hommes qui conçoivent les choses si confusément, et qui s'attachent avec tant d'opiniâtreté aux premières opinions qu'ils ont une fois conçues, sans les avoir jamais bien examinées, que, plutôt que de s'en départir, ils nieront qu'ils aient en eux-mêmes les choses qu'ils expérimentent y être. Car, de vrai, il ne se peut pas faire que nous n'expérimentions tous les jours en nous-mêmes que nous pensons ; et partant, quoi qu'on nous fasse voir qu'il n'y a point d'opérations dans les bêtes qui ne se puissent faire sans la pensée, personne ne pourra de là raisonnablement inférer qu'il ne pense donc point, si ce n'est celui qui, ayant toujours supposé que les bêtes pensent comme nous, et pour ce sujet s'étant persuadé qu'il n'agit point autrement qu'elles, se voudra tellement opiniâtrer à maintenir cette proposition : *l'homme et la bête opèrent d'une même façon,* que, lorsqu'on viendra à lui montrer que les bêtes ne pensent point, il aimera mieux se dépouiller de sa propre pensée (laquelle il ne peut toutefois ne pas connaître en soi-même par une expérience continuelle et infaillible) que de changer cette opinion, *qu'il agit de même façon que les bêtes.* Je ne puis pas néanmoins me persuader qu'il y ait beaucoup de ces esprits ; mais je m'assure qu'il s'en trouvera bien davantage qui, si on leur accorde *que la pensée n'est point distinguée du mouvement corporel,* soutiendront (et certes avec plus de raison) qu'elle se rencontre dans les bêtes aussi bien que dans les hommes, puisqu'ils verront en elles les mêmes mouvements corporels que dans nous ; et, ajoutant à cela *que la différence, qui n'est que selon le plus ou le moins, ne change point la nature des choses,* bien que peut-être ils ne fassent pas les bêtes si raisonnables que les hommes, ils auront néanmoins occasion de croire qu'il y a en elles des esprits de semblable espèce que les nôtres.

4. Pour ce qui regarde la science d'un athée, il est aisé de montrer qu'il ne peut rien savoir avec certitude et assurance ; car, comme j'ai déjà dit ci-devant, d'autant moins puissant sera celui qu'il reconnaîtra pour l'auteur de son être, d'autant plus aura-t-il occasion de douter si sa nature n'est point tellement imparfaite qu'il se trompe, même dans les choses qui lui semblent très évidentes ; et jamais il ne pourra être délivré de ce doute, si, premièrement, il ne reconnaît qu'il a été créé par un vrai Dieu, principe de toute vérité, qui ne peut être trompeur.

5. Et on peut voir clairement qu'il est impossible que Dieu soit trompeur, pourvu qu'on veuille considérer que la forme

ou l'essence de la tromperie est un non être, vers lequel jamais le souverain être ne se peut porter. Aussi tous les théologiens sont-ils d'accord de cette vérité, qu'on peut dire être la base et le fondement de la religion Chrétienne, puisque toute la certitude de sa foi en dépend. Car comment pourrions-nous ajouter foi aux choses que Dieu nous a révélées, si nous pensions qu'il nous trompe quelquefois ? Et bien que la commune opinion des théologiens soit que les damnés sont tourmentés par le feu des enfers, néanmoins leur sentiment n'est pas pour cela, *qu'ils sont déçus par une fausse idée que Dieu leur a imprimée d'un feu qui les consomme*, mais plutôt qu'ils sont véritablement tourmentés par le feu ; parce que, *comme l'esprit d'un homme vivant, bien qu'il ne soit pas corporel, est néanmoins naturellement détenu dans le corps, ainsi Dieu, par sa toute-puissance, peut aisément faire qu'il souffre les atteintes du feu corporel après sa mort, etc.* (Voyez le Maître des Sentences, Lib. 4, Dist. 44.) Pour ce qui est des lieux de l'Ecriture, je ne juge pas que je sois obligé d'y répondre, si ce n'est qu'ils semblent contraires à quelque opinion qui me soit particulière ; car lorsqu'ils ne s'attaquent pas à moi seul, mais qu'on les propose contre les opinions qui sont communément reçues de tous les chrétiens, comme sont celles que l'on impugne en ce lien-ci, par exemple : que nous pouvons savoir quelque chose, et que l'âme de l'homme n'est pas semblable à celle des animaux ; je craindrais de passer pour présomptueux, si je n'aimais pas mieux me contenter des réponses qui ont déjà été faites par d'autres, que d'en rechercher des nouvelles ; vu que je n'ai jamais fait profession de l'étude de la théologie, et que je ne m'y suis appliqué qu'autant que j'ai cru qu'elle était nécessaire pour ma propre instruction, et enfin que je ne sens point en moi d'inspiration divine, qui me fasse juger capable de l'enseigner. C'est pourquoi je fais ici ma déclaration, que désormais je ne répondrai plus à de pareilles objections.

Mais je ne laisserai pas d'y répondre encore pour cette fois, de peur que mon silence ne donnât occasion à quelques-uns de croire que je m'en abstiens faute de pouvoir donner des explications assez commodes aux lieux de l'Ecriture que vous proposez. Je dis donc, premièrement, que le passage de Saint Paul de la première aux Corinth., Chap. 8, vers 2, se doit seulement entendre de la science qui n'est pas jointe avec la charité, c'est-à-dire de la science des athées : par ce que quiconque connaît Dieu comme il faut, ne peut pas être sans amour pour lui, et n'avoir point de charité. Ce qui se prouve, tant par ces paroles qui précèdent immédiatement : *la science enfle, mais la charité édifie*, que par celles qui suivent un peu après : *que si quelqu'un aime Dieu, icelui* (à savoir Dieu) *est connu de lui.* Car ainsi l'Apôtre ne dit pas qu'on ne puisse avoir aucune science, puisqu'il confesse que ceux qui aiment Dieu le connaissent, c'est-à-dire qu'ils ont de lui quelque science ; mais il dit seulement que ceux qui n'ont point de charité, et qui par conséquent n'ont pas une connaissance de Dieu suffisante, encore que peut-être ils s'estiment savants en d'autres choses, *ils ne connaissent pas néanmoins encore ce qu'ils doivent savoir, ni comment ils le doivent savoir :* d'autant qu'il faut commencer par la connaissance de Dieu, et après faire dépendre d'elle toute la connaissance que nous pouvons avoir des autres choses, ce que j'ai aussi expliqué dans mes Méditations. Et partant, ce même texte, qui était allégué contre moi, confirme si ouvertement mon opinion touchant cela, que je ne pense pas qu'il puisse être bien expliqué par ceux qui sont d'un contraire avis. Car, si on voulait prétendre que le sens que j'ai donné à ces paroles : *que si quelqu'un aime Dieu, icelui* (à savoir Dieu) *est connu de lui,* n'est pas celui de l'Ecriture, et que ce pronom *icelui* ne se réfère pas à Dieu, mais à l'homme, qui est connu et approuvé par lui, l'apôtre Saint Jean, en sa première Epître, Chapitre 2, vers. 3, favorise entièrement mon explication, par ces paroles : *En cela nous savons que nous l'avons connu, si nous observons ses commandements ;* et au Chap. 4, vers. 7 : *Celui qui aime, est enfant de Dieu, et le connaît.*

Les lieux que vous alléguez de l'Ecclésiaste ne sont point aussi contre moi : car il faut remarquer que Salomon dans ce livre, ne parle pas en la personne des impies, mais en la sienne propre, en ce qu'ayant été auparavant pécheur et ennemi de Dieu, il se repent pour lors de ses fautes, et confesse que, tant qu'il s'était seulement voulu servir pour la conduite de ses actions des lumières de la sagesse humaine, sans la référer à Dieu ni la regarder comme un bienfait de sa main, jamais il n'avait rien pu trouver que le satisfît entièrement, ou qu'il ne vît rempli de vanité. C'est pourquoi, en divers lieux, il exhorte et sollicite les hommes de se convertir à Dieu et de faire pénitence. Et notamment au Chap. 11, vers. 9, par ces paroles : *Et sache,* dit-il, *que Dieu te fera rendre compte de toutes tes actions ;* ce qu'il continue dans les autres suivants jusqu'à la fin du livre. Et ces paroles du Chap. 8, vers. 17 : *Et j'ai reconnu que, de tous les ouvrages de Dieu qui se font sous le soleil, l'homme n'en peut rendre aucune raison etc.,* ne doivent pas être entendues de toutes sortes de personnes, mais seulement de celui qu'il a décrit au verset précédent : *Il y a tel homme qui passe les jours et les nuits sans dormir ;* comme si le prophète voulait en ce lieu-là nous avertir que le trop grand travail, et la trop grande assiduité à l'étude des lettres, empêche qu'on ne parvienne à la connaissance de la vérité : ce que je ne crois pas que ceux qui me connaissent particulièrement, jugent pouvoir être appliqué à moi. Mais surtout il faut prendre garde à ces paroles : *qui se font sous le soleil,* car elles sont souvent répétées dans tout ce livre, et dénotent toujours les choses naturelles, à l'exclusion de la subordination et dépendance qu'elles ont à Dieu, parce que, Dieu étant élevé au-dessus de toutes choses, on ne peut pas dire qu'il soit contenu entre celles qui ne sont que sous le soleil ; de sorte que le vrai sens de ce passage est que l'homme ne saurait avoir une connaissance parfaite des choses naturelles, tandis qu'il ne connaîtra point Dieu : en quoi je conviens aussi avec le prophète. Enfin, au Chapitre 3, vers. 19, où il est dit *que l'homme et la jument passent de même façon,* et aussi que *l'homme n'a rien de plus que la jument,* il est manifeste que cela ne se dit qu'à raison du corps ; car en cet endroit il n'est fait mention que des choses qui appartiennent au corps ; et incontinent après il ajoute, en parlant séparément de l'âme : *Qui sait si l'esprit des enfants d'Adam monte en haut, et si l'esprit des animaux descend en bas ?* c'est-à-dire qui peut connaître, par la force de la raison humaine, et à moins que de se tenir à ce que Dieu nous en a révélé, si les âmes des hommes jouiront de la béatitude éternelle ? Certes j'ai bien tâché de prouver par raison naturelle que l'âme de l'homme n'est point corporelle ; mais de savoir si elle montera en haut, c'est-à-dire si elle jouira de la gloire de Dieu, j'avoue qu'il n'y a que la seule foi qui nous le puisse apprendre.

6. Quant à la liberté du franc arbitre, il est certain que celle qui se trouve en Dieu, est bien différente de celle qui est en nous, d'autant qu'il répugne qu'il la volonté de Dieu n'ait pas été de toute éternité indifférente à toutes les choses qui ont été faites ou qui se feront jamais, n'y ayant aucune idée qui représente le bien ou le vrai, ce qu'il faut croire, ce qu'il faut faire, ou ce qu'il faut omettre, qu'on puisse feindre avoir été l'objet de l'entendement divin, avant que sa nature ait été constituée telle par la détermination de sa volonté. Et je ne parle pas ici d'une simple priorité de temps, mais bien davantage je dis qu'il a impossible qu'une telle idée ait précédé la détermination de la volonté de Dieu par une priorité d'ordre, ou de nature, ou de raison raisonnée, ainsi qu'on la nomme dans l'Ecole, en sorte que cette idée du bien ait porté Dieu à élire l'un plutôt que l'autre. Par exemple, ce n'est pas pour avoir vu qu'il était meilleur que le monde fut créé dans le temps que dès l'éternité, qu'il a voulu le créer dans le temps ; et il n'a pas voulu que les trois angles d'un triangle fussent égaux à deux droits, parce qu'il a connu que cela ne se pouvait faire autrement, etc. Mais, au contraire, parce

qu'il a voulu créer le monde dans le temps, pour cela il est ainsi meilleur que s'il eût été créé dès l'éternité ; et d'autant qu'il a voulu que les trois angles d'un triangle fussent nécessairement égaux à deux droits, il est maintenant vrai que cela est ainsi, et il ne peut pas être autrement, et ainsi de toutes les autres choses. Et cela n'empêche pas qu'on ne puisse dire que les mérites des saints sont la cause de leur béatitude éternelle ; car ils n'en sont pas tellement la cause qu'ils déterminent Dieu à ne rien vouloir, mais ils sont seulement d'un effet, dont Dieu a voulu de toute éternité qu'ils fussent la cause. Et ainsi une entière indifférence en Dieu est une preuve très grande de sa toute-puissance. Mais il n'en est pas ainsi de l'homme, lequel trouvant déjà la nature de la bonté et de la vérité établie et déterminée de Dieu, et sa volonté étant telle qu'elle ne se peut naturellement porter que vers ce qui est bon, il est manifeste qu'il embrasse d'autant plus volontiers, et par conséquent d'autant plus librement, le bon et le vrai, qu'il les connaît plus évidemment ; et que jamais il n'est indifférent que lorsqu'il ignore ce qui est de mieux ou de plus véritable, ou du moins lorsque cela ne lui paraît pas si clairement qu'il n'en puisse aucunement douter. Et ainsi l'indifférence qui convient à la liberté de l'homme, est fort différente de celle qui convient à la liberté de Dieu. Et il ne sert ici de rien d'alléguer que les essences des choses sont indivisibles ; car, premièrement, il n'y en a point qui puisse convenir d'une même façon à Dieu et à la créature ; et enfin l'indifférence n'est point de l'essence de la liberté humaine, vu que nous ne sommes pas seulement libres, quand l'ignorance du bien et du vrai nous rend indifférents, mais principalement aussi lorsque la claire et distincte connaissance d'une chose nous pousse et nous engage à sa recherche.

7. Je ne conçois point la superficie par laquelle j'estime que nos sens sont touchés, autrement que les mathématiciens ou philosophes conçoivent ordinairement, ou du moins doivent concevoir, celle qu'ils distinguent du corps et qu'ils supposent n'avoir point de profondeur. Mais le nom de superficie se prend en deux façons par les mathématiciens : à savoir, ou pour le corps dont on ne considère que la seule longueur et largeur, sans s'arrêter du tout à la profondeur, quoi qu'on ne nie pas qu'il en ait quelqu'une ; ou il est pris seulement pour un mode du corps, et pour lors toute profondeur lui est déniée. C'est pourquoi, pour éviter toute sorte d'ambiguïté, j'ai dit que je parlais de cette superficie, laquelle, étant seulement un mode, ne peut pas être partie du corps ; car le corps est une substance dont le mode ne peut être partie. Mais je n'ai jamais nié qu'elle fut le terme du corps ; au

contraire, je crois qu'elle peut fort proprement être appelée l'extrémité, tant du corps contenu que de celui qui contient, au sens que l'on dit que les corps contigus sont ceux dont les extrémités sont ensembles. Car, de vrai, quand deux corps se touchent mutuellement, ils n'ont ensemble qu'une même extrémité, qui n'est point partie de l'un ni de l'autre, mais qui est le même mode de tous les deux, et qui demeurera toujours le même, quoique ces deux corps soient ôtés, pourvu seulement qu'on en substitue d'autres en leur place, qui soient précisément de la même grandeur et figure. Et même ce lieu, qui est appelé par les Péripatéticiens la superficie du corps qui environne, ne peut être conçu être une autre superficie, que celle qui n'est point une substance, mais un mode. Car on ne dit point que le lieu d'une tour soit changé, quoique l'air qui l'environne le soit, ou qu'on substitue un autre corps en la place de la tour ; et partant la superficie, qui est ici prise pour le lieu, n'est point partie de la tour, ni de l'air qui l'environne. Mais, pour réfuter entièrement l'opinion de ceux qui admettent des accidents réels, il me semble qu'il n'est pas besoin que je produise d'autres raisons que celles que j'ai déjà avancées. Car, premièrement, puisque nul sentiment ne se fait sans contact, rien ne peut être senti que la superficie des corps. Or, s'il y a des accidents réels, ils doivent être quelque chose de différent de cette superficie, qui n'est autre chose qu'un mode. Donc, s'il y en a, ils ne peuvent être sentis. Mais qui a jamais pensé qu'il y en eût, que parce qu'il a cru qu'ils étaient sentis ? De plus, c'est une chose entièrement impossible et qui ne se peut concevoir sans répugnance et contradiction, qu'il y ait des accidents réels, par ce que tout ce qui est réel peut exister séparément de tout autre sujet : or ce qui peut ainsi exister séparément, est une substance, et non point un accident. Et il ne sert de rien de dire que les accidents réels ne peuvent pas naturellement être séparés de leurs sujets, mais seulement par la toute-puissance de Dieu ; car être fait naturellement, n'est rien autre chose qu'être fait par la puissance ordinaire de Dieu, laquelle ne diffère en rien de sa puissance extraordinaire, et laquelle, ne mettant rien de nouveau dans les choses, n'en change point aussi la nature ; de sorte que, si tout ce qui peut être naturellement sans sujet, est une substance, tout ce qui peut aussi être sans sujet par la puissance de Dieu, tant extraordinaire qu'elle puisse être, doit aussi être appelé du nom de substance. J'avoue bien, à la vérité, qu'une substance peut être appliquée à une autre substance ; mais, quand cela arrive, ce n'est pas la substance qui prend la forme d'un accident, c'est le seul mode ou la façon dont cela arrive : par exemple, quand un habit est appliqué sur un homme, ce n'est pas l'habit, mais *être habillé,* qui est un accident. Et par ce que la principale raison qui a mû les philosophes à établir des accidents réels, a été qu'ils ont cru que sans eux on ne pouvait pas expliquer comment se font les perceptions de nos sens, j'ai promis d'expliquer par le menu, en écrivant de la physique, la façon dont chacun de nos sens est touché par ses objets ; non que je veuille qu'en cela, ni en aucune autre chose, on s'en rapporte à mes paroles, mais parce que j'ai cru que ce que j'avais expliqué de la vue, dans ma Dioptrique, pouvait servir de preuve suffisante de ce que je puis dans le reste.

8. Quand on considère attentivement l'immensité de Dieu, on voit manifestement qu'il est impossible qu'il y ait rien qui ne dépende de lui, non seulement de tout ce qui subsiste, mais encore qu'il n'y a ordre, ni loi, ni raison de bonté et de vérité qui n'en dépende ; autrement (comme je disais un peu auparavant), il n'aurait pas été tout à fait indifférent à créer les choses qu'il a créées. Car si quelque raison ou apparence de bonté eut précédé sa préordination, elle l'eût sans doute déterminé à faire ce qui aurait été de meilleur. Mais, tout au contraire, parce qu'il s'est déterminé à faire les choses qui sont au monde, pour cette raison, comme il est dit en la Genèse, *elles sont très bonnes,* c'est-à-dire que la raison de leur bonté dépend de ce qu'il les a ainsi voulu faire. Et il n'est pas besoin de demander en quel genre de cause cette bonté, ni toutes les autres vérités, tant mathématiques que métaphysiques, dépendent de Dieu ; car, les genres des causes ayant été établis par ceux qui peut-être ne pensaient point à cette raison de causalité, il n'y aurait pas lieu de s'étonner, quand ils ne lui auraient point donné de nom ; mais néanmoins ils lui en ont donné un car elle peut être appelée efficiente, de la même façon, que la volonté du roi peut être dite la cause efficiente de la loi, bien que la loi même ne soit pas un être naturel, mais seulement (comme ils disent en l'Ecole) un être moral. Il est aussi inutile de demander comment Dieu eût pu faire de toute éternité que deux fois 4 n'eussent pas été 8, etc., car j'avoue bien que nous ne pouvons pas comprendre cela ; mais, puisque d'un autre côté je comprends fort bien que rien ne peut exister, en quelque genre d'être que ce soit, qui ne dépende de Dieu, et qu'il lui a été très facile d'ordonner tellement certaines choses que les hommes ne pussent pas comprendre qu'elles eussent pu être autrement qu'elles sont, ce serait une chose tout à fait contraire à la raison, de douter des choses que nous comprenons fort bien, à cause de quelques autres que nous ne comprenons pas, et que nous ne voyons point que nous devions comprendre. Ainsi donc il ne faut pas penser que *les vérités éternelles dépendent de l'entendement humain, ou*

de l'existence des choses, mais seulement de la volonté de Dieu, qui, comme un souverain législateur, les a ordonnées et établies de toute éternité.

9. Pour bien comprendre quelle est la certitude du sens, il faut distinguer en lui trois sortes de degrés. Dans le premier, on ne doit considérer autre chose que ce que les objets extérieurs causent immédiatement dans l'organe corporel ; ce qui ne peut être autre chose que le mouvement des particules de cet organe, et le changement de figure et de situation qui proviennent de ce mouvement. Le second contient tout ce qui résulte immédiatement en l'esprit, de ce qu'il est uni à l'organe corporel ainsi mû et disposé par ses objets ; et tels sont les sentiments de la douleur, du chatouillement, de la faim, de la soif, des couleurs, des sons, des saveurs, des odeurs, du chaud, du froid, et autres semblables, que nous avons dit, dans la sixième Méditation, provenir de l'union et pour ainsi dire du mélange de l'esprit avec le corps. Et enfin, le troisième comprend tous les jugements que nous avons coutume de faire depuis notre jeunesse, touchant les choses qui sont autour de nous, à l'occasion des impressions, ou mouvements, qui se font dans les organes de nos sens. Par exemple, lorsque je vois un bâton, il ne faut pas s'imaginer qu'il sorte de lui de petites images voltigeantes par l'air, appelées vulgairement des espèces intentionnelles, qui passent jusques à mon œil, mais seulement que les rayons de la lumière réfléchis de ce bâton excitent quelques mouvements dans le nerf optique, et par son moyen dans le cerveau même, ainsi que j'ai amplement expliqué dans la Dioptrique. Et c'est en ce mouvement du cerveau, qui nous est commun avec les bêtes, que consiste le premier degré du sentiment. De ce premier suit le second, qui s'étend seulement à la perception de la couleur et de la lumière qui est réfléchie de ce bâton, et qui provient de ce que l'esprit est si étroitement et si intimement conjoint avec le cerveau, qu'il se ressent même et est comme touché par les mouvements qui se font en lui ; et c'est tout ce qu'il faudrait rapporter au sens, si nous voulions le distinguer exactement de l'entendement. Car, que de ce sentiment de la couleur, dont je sens l'impression, je vienne à juger que ce bâton qui est hors de moi est coloré, et que de l'étendue de cette couleur, de sa terminaison et de la relation de sa situation avec les parties de mon cerveau, je détermine quelque chose touchant la grandeur, la figure et la distance de ce même bâton, quoi qu'on ait accoutumé de l'attribuer au sens, et que pour ce sujet je l'aie rapporté à un troisième degré de sentiment, c'est néanmoins une chose manifeste que cela ne dépend que de l'entendement seul. Et même j'ai fait voir, dans la Dioptrique, que la grandeur, la distance et la

figure ne s'aperçoivent que par le raisonnement, en les déduisant les unes des autres. Mais il y a seulement en cela de la différence, que nous attribuons à l'entendement les jugements nouveaux et non accoutumés que nous faisons touchant toutes les choses qui se présentent, et que nous attribuons aux sens ceux que nous avons été accoutumés de faire dès notre enfance touchant les choses sensibles, à l'occasion des impressions qu'elles font dans les organes de nos sens ; dont la raison est que la coutume nous fait raisonner et juger si promptement de ces choses-là (ou plutôt nous fait ressouvenir des jugements que nous en avons faits autrefois), que nous ne distinguons point cette façon de juger d'avec la simple appréhension ou perception de nos sens. D'où il est manifeste que, lorsque nous disons que la certitude de l'entendement est plus grande que celle des sens, nos paroles ne signifient autre chose, sinon que les jugements que nous faisons dans un âge plus avancé, à cause de quelques nouvelles observations, sont plus certains que ceux que nous avons formés dès notre enfance, sans y avoir fait de réflexion ; ce qui ne peut recevoir aucun doute, car il est constant qu'il ne s'agit point ici du premier ni du second degré du sentiment, d'autant qu'il ne peut y avoir en eux aucune fausseté. Quand donc on dit *qu'un bâton paraît rompu dans l'eau, à cause de la réfraction,* c'est de même que si l'on disait qu'il nous paraît d'une telle façon qu'un enfant jugerait de là qu'il est rompu, et qui fait aussi que, selon les préjugés auxquels nous sommes accoutumés dès notre enfance, nous jugeons la même chose. Mais je ne puis demeurer d'accord de ce que l'on ajoute ensuite, à savoir *que cette erreur n'est point corrigée par l'entendement, mais par le sens de l'attouchement ;* car bien que ce sens nous fasse juger qu'un bâton est droit, et cela par cette façon de juger à laquelle nous sommes accoutumés dès notre enfance, et qui par conséquent peut être appelée *sentiment,* néanmoins cela ne suffit pas pour corriger l'erreur de la vue, mais outre cela il est besoin que nous ayons quelque raison, qui nous enseigne que nous devons en cette rencontre nous fier plutôt au jugement que nous faisons en suite de l'attouchement, qu'à celui où semble nous porter le sens de la vue ; laquelle raison n'ayant point été en nous dès notre enfance, ne peut être attribuée au sens, mais au seul entendement ; et partant, dans cet exemple même, c'est l'entendement seul qui corrige l'erreur du sens, et il est impossible d'en apporter jamais aucun, dans lequel l'erreur vienne pour s'être plus fié à l'opération de l'esprit qu'à la perception des sens.

10. D'autant que les difficultés qui restent à examiner, me sont plutôt proposées comme des doutes que comme des

objections, je ne présume pas tant de moi, que j'ose me promettre d'expliquer assez suffisamment des choses que je vois être encore aujourd'hui le sujet des doutes de tant de savants hommes. Néanmoins, pour faire en cela tout ce que je puis, et ne pas manquer à ma propre cause, je dirai ingénument de quelle façon il est arrivé que je me sois moi-même entièrement délivré de ces doutes. Car, en ce faisant, si par hasard il arrive que cela puisse servir à quelques-uns, j'aurai sujet de m'en réjouir, et s'il ne peut servir à personne, au moins aurai-je la satisfaction qu'on ne me pourra pas accuser de présomption ou de témérité.

Lorsque j'eus la première fois conclu, en suite des raisons qui sont contenues dans mes Méditations, que l'esprit humain est réellement distingué du corps, et qu'il est même plus aisé à connaître que lui, et plusieurs autres choses dont il est là traité, je me sentais à la vérité obligé d'y acquiescer, par ce que je ne remarquais rien en elles qui ne fût bien suivi, et qui ne fut tiré de principes très évidents, suivant les règles de la logique. Toutefois je confesse que je ne fus pas pour cela pleinement persuadé, et qu'il m'arriva presque la même chose qu'aux astronomes, qui, après avoir été convaincus par de puissantes raisons que le soleil est plusieurs fois plus grand que toute la terre, ne sauraient pourtant s'empêcher de juger qu'il est plus petit, lorsqu'ils jettent les yeux sur lui. Mais après que j'eus passé plus avant, et qu'appuyé sur les mêmes principes, j'eus porté ma considération sur les choses physiques ou naturelles, examinant premièrement les notions ou les idées que je trouvais en moi de chaque chose, puis les distinguant soigneusement les unes des autres pour faire que mes jugements eussent un entier rapport avec elles, je reconnus qu'il n'y avait rien qui appartînt à la nature ou à l'essence du corps, sinon qu'il est une substance étendue en longueur, largeur et profondeur, capable de plusieurs figures et de divers mouvements, et que ses figures et mouvements n'étaient autre chose que des modes, qui ne peuvent jamais être sans lui ; mais que les couleurs, les odeurs, les saveurs, et autres choses semblables, n'étaient rien que des sentiments qui n'ont aucune existence hors de ma pensée, et qui ne sont pas moins différents des corps que la douleur diffère de la figure ou du mouvement de la flèche qui la cause ; et enfin, que la pesanteur, la dureté, la vertu d'échauffer, d'attirer, de purger, et toutes les autres qualités que nous remarquons dans les corps, constituent seulement dans le mouvement ou dans sa privation, et dans la configuration et arrangement des parties.

Toutes lesquelles opinions étant fort différentes de celles que j'avais eues auparavant touchant les mêmes choses, je commençai après cela, à considérer pourquoi j'en avais eu d'autres par ci-devant, et je trouvai que la principale raison était que, dès ma jeunesse, j'avais fait plusieurs jugements touchants les choses naturelles (comme celles qui devaient beaucoup contribuer à la conservation de ma vie, en laquelle je ne faisais que d'entrer), et que j'avais toujours retenu depuis les mêmes opinions que j'avais autrefois formées de ces choses-là. Et d'autant que mon esprit ne se servait pas bien en ce bas âge des organes du corps, et qu'y étant trop attaché il ne pensait rien sans eux, aussi n'apercevait-il que confusément toutes choses. Et bien qu'il eut connaissance de sa propre nature, et qu'il n'eut pas moins en soi l'idée de la pensée que celle de l'étendue, néanmoins, par ce qu'il ne concevait rien de purement intellectuel, qu'il n'imaginât aussi en même temps quelque chose de corporel, il prenait l'un et l'autre pour une même chose, et rapportait au corps toutes les notions qu'il avait des choses intellectuelles. Et d'autant que je ne m'étais jamais depuis délivré de ces préjugés, il n'y avait rien que je connusse assez distinctement et que je ne supposasse être corporel, quoique néanmoins je formasse souvent de telles idées de ces choses mêmes que je supposais être corporelles, et que j'en eusse de telles notions, qu'elles représentaient plutôt des esprits que des corps.

Par exemple, lorsque je concevais la pesanteur comme une qualité réelle, inhérente et attachée aux corps massifs et grossiers, encore que je la nommasse une *qualité,* en tant que je la rapportais aux corps dans lesquels elle résidait, néanmoins, parce que j'ajoutais ce mot de *réelle,* je pensais en effet que c'était une substance : de même qu'un habit considéré en soi est une substance, quoiqu'étant rapporté à un homme habillé, il puisse être dit une qualité ; et ainsi, bien que l'esprit soit une substance, il peut néanmoins être dit une qualité, eu égard au corps auquel il est uni. Et bien que je conçusse que la pesanteur est répandue par tout le corps qui est pesant, je ne lui attribuais pas néanmoins la même sorte d'étendue qui constitue la nature du corps, car cette étendue est telle qu'elle exclut toute pénétrabilité de parties ; et je pensais qu'il y avait autant de pesanteur dans une masse d'or ou de quelque autre métal de la longueur d'un pied qu'il y en avait dans une pièce de bois longue de dix pieds ; voire même j'estimais que toute cette pesanteur pouvait être contenue sous un point mathématique. Et même lorsque cette pesanteur était ainsi également étendue par tout le corps, je voyais qu'elle pouvait exercer toute sa force en chacune de ses parties, parce que, de quelque façon que ce corps fut suspendu à une corde, et la tirait de toute sa pesanteur, comme si toute cette pesanteur eut été renfermée dans la partie qui touchait la corde. Et certes je ne conçois point encore aujourd'hui que l'esprit soit autrement étendu dans le corps, lorsque je le conçois être tout entier dans le tout, et tout entier dans chaque partie. Mais ce qui fait mieux paraître que cette idée de la pesanteur avait été tirée en partie de celle que j'avais de mon esprit, est que je pensais que la pesanteur portait les corps vers le centre de la terre, comme si elle eut eu en soi quelque connaissance de ce centre : car certainement il n'est pas possible que cela se fasse sans connaissance, et partout où il y a connaissance, il faut qu'il y ait de l'esprit. Toutefois j'attribuais encore d'autres choses à cette pesanteur, qui ne peuvent pas en même façon être entendues de l'esprit : par exemple, qu'elle était divisible, mesurable, etc.

Mais après que j'eus suffisamment considéré toutes ces choses, et que j'eus distingué l'idée de l'esprit humain des idées du corps et du mouvement corporel, et que je me fus aperçu que toutes les autres idées que j'avais eues auparavant, soit des qualités réelles, soit des formes substantielles, en avaient été composées, ou formées par mon esprit, je n'eus pas beaucoup de peine à me défaire de tous les doutes qui sont ici proposés. Car, premièrement, je ne doutai plus que je n'eusse une claire idée de mon propre esprit, duquel je ne pouvais pas nier que je n'eusse connaissance, puisqu'il m'était si présent et si conjoint. Je ne mis plus aussi en doute que cette idée ne fut entièrement différente de celles de toutes les autres choses, et qu'elle n'eut rien en soi de ce qui appartient au corps : par ce qu'ayant recherché très soigneusement les vraies idées des autres choses, et pensant même les connaître toutes en général, je ne trouvais rien en elles qui ne fut en tout différent de l'idée de mon esprit. Et je voyais qu'il y avait une bien plus grande différence entre ces choses, qui, bien qu'elles fussent tout à la fois en ma pensée, me paraissaient néanmoins distinctes et différentes, comme sont l'esprit et le corps, qu'entre celles dont nous pouvons à la vérité avoir des pensées séparées, nous arrêtant à l'une sans penser à l'autre, mais qui ne sont jamais ensemble en notre esprit, que nous ne voyions, bien qu'elles ne peuvent pas subsister séparément. Comme, par exemple, l'immensité de Dieu peut bien être conçue sans que nous pensions à sa justice, mais on ne peut pas les avoir toutes deux présentes à son esprit, et croire que Dieu puisse être immense sans être juste. De même l'existence de Dieu peut être clairement connue, sans que l'on sache rien des personnes de la très sainte Trinité, qu'aucun esprit ne saurait bien entendre, s'il n'est éclairé des lumières de la foi; mais lorsqu'elles sont une fois bien entendues, je nie qu'on puisse concevoir entre elles aucune distinction réelle à raison de l'essence divine, quoi que cela se puisse à raison des relations.

Et enfin je n'appréhende plus de m'être peut-être laissé surprendre et prévenir par mon analyse, lorsque, voyant qu'il y a des corps qui ne pensent point, ou plutôt concevant très clairement que certains corps peuvent être sans pensée, j'ai mieux aimé dire que la pensée n'appartient point à la nature du corps, que de conclure qu'elle en est un mode, par ce que j'en voyais d'autres (à savoir ceux des hommes) qui pensent ; car, à vrai dire, je n'ai jamais vu ni compris que les corps humains eussent des pensées, mais bien que ce sont les mêmes hommes qui pensent et qui ont des corps. Et j'ai reconnu que cela se fait par la composition et l'assemblage de la substance qui pense avec la corporelle ; par ce que, considérant séparément la nature de la substance qui pense, je n'ai rien remarqué en elle qui pût appartenir au corps, et que je n'ai rien trouvé dans la nature du corps, considérée toute seule, qui pût appartenir à la pensée. Mais, au contraire, examinant tous les modes, tant du corps que de l'esprit, je n'en ai remarqué pas un, dont le concept ne dépendît entièrement du concept même de la chose dont il est le mode. Aussi, de ce que nous voyons souvent deux choses jointes ensemble, on ne peut pas pour cela inférer qu'elles ne sont qu'une même chose ; mais, de ce que nous voyons quelquefois l'une de ces choses sans l'autre, on peut fort bien conclure qu'elles sont diverses. Et il ne faut pas que la puissance de Dieu nous empêche de tirer cette conséquence ; car il n'y a pas moins de répugnance à penser que des choses que nous concevons clairement et distinctement comme deux choses diverses, soient faites une même chose en essence et sans aucune composition, que de penser qu'on puisse séparer ce qui n'est aucunement distinct. Et partant, si Dieu a donné à quelques corps la faculté de penser (comme en effet il l'a donnée à ceux des hommes), il peut, quand il voudra, l'en séparer, et ainsi elle ne laisse pas d'être réellement distincte de ces corps.

Et je ne m'étonne pas d'avoir autrefois fort bien compris, avant même que je me fusse délivré des préjugés de mes sens, *que deux et trois joints ensemble font le nombre de cinq, et que, lorsque de choses égales on ôte choses égales, les restes sont égaux,* et plusieurs choses semblables, bien que je ne songeasse pas alors que l'âme de l'homme fût distincte de son corps : car je vois très bien que ce qui a fait que je n'ai point en mon enfance donné de faux jugement touchant ces propositions qui sont reçues généralement de tout le monde, a été parce qu'elles ne m'étaient pas encore pour lors en usage, et que les enfants n'apprennent point à assembler deux avec trois, qu'ils ne soient capables de juger s'ils font le nombre de cinq, etc. Tout au contraire, dès ma plus tendre jeunesse, j'ai conçu l'esprit et le corps (dont je voyais confusément que j'étais composé) comme une seule et même chose ; et c'est le vice presque ordinaire de toutes les connaissances imparfaites, d'assembler en un plusieurs choses, et les prendre toutes pour une même ; c'est pourquoi il faut par après avoir la peine de les séparer, et par un examen plus exact les distinguer les unes des autres.

Mais je m'étonne grandement que des personnes très doctes et *accoutumées depuis trente années aux spéculations métaphysiques*, après avoir lu mes Méditations plus de *sept fois*, se persuadent *que, si je les relisais avec le même esprit que je les examinerais si elles m'avaient été proposées par une personne ennemie, je ne ferais pas tant de cas et n'aurais pas une opinion si avantageuse des raisons qu'elles contiennent, que de croire que chacun se devrait rendre à la force et au poids de leurs vérités et liaisons,* vu cependant qu'ils ne font voir eux-mêmes aucune faute dans tous mes raisonnements. Et certes ils m'attribuent beaucoup plus qu'ils ne doivent, et qu'on ne doit pas même penser d'aucun homme, s'ils croient que je me serve d'une telle analyse que je puisse par son moyen renverser les démonstrations véritables, ou donner une telle couleur aux fausses, que personne n'en puisse jamais découvrir la fausseté ; vu qu'au contraire je professe hautement que je n'en ai jamais recherché d'autre que celle au moyen de laquelle on peut s'assurer de la certitude des raisons véritables, et découvrir le vice des fausses et captieuses. C'est pourquoi je ne suis pas tant étonné de voir des personnes très doctes n'acquiescer pas encore à mes conclusions, que je suis joyeux de voir qu'après une si sérieuse et fréquente lecture de mes raisons, ils ne me blâment point d'avoir rien avancé mal à propos, ou d'avoir tiré quelque conclusion autrement que dans les formes. Car la difficulté qu'ils ont à recevoir mes conclusions, peut aisément être attribuée à la coutume invétérée qu'ils ont de juger autrement de ce qu'elles contiennent, comme il a déjà été remarqué des astronomes, qui ne peuvent s'imaginer que le soleil soit plus grand que la terre, bien qu'ils aient des raisons très certaines qui le démontrent. Mais je ne vois pas qu'il puisse y avoir d'autre raison pourquoi ni ces Messieurs, ni personne que je sache, n'ont pu jusques ici rien reprendre dans mes raisonnements, sinon parce qu'ils sont entièrement vrais et indubitables ; vu principalement que les principes sur quoi ils sont appuyés, ne sont point obscurs, ni inconnus, ayant tous été tirés des plus certaines et plus évidentes notions qui se présentent à un esprit qu'un doute général de toutes choses a déjà délivré de toutes sortes de préjugés ; car il suit de là nécessairement qu'il ne peut y avoir d'erreurs, que tout homme d'esprit un peu médiocre n'eût pu facilement remarquer. Et ainsi je pense que je n'aurai pas mauvaise raison de conclure, que les choses que j'ai écrites ne sont pas tant affaiblies par l'autorité de ces savants hommes qui, après les avoir lues attentivement plusieurs fois, ne se peuvent pas encore laisser persuader par elles, qu'elles sont fortifiées par leur autorité même, de ce qu'après un examen si exact et des revues si générales, ils n'ont pourtant remarqué aucunes erreurs ou paralogismes dans mes démonstrations.

2. VOLTAIRE,
QUATORZIÈME LETTRE PHILOSOPHIQUE
SUR DESCARTES ET NEWTON

Dégagez dans ce jugement critique de Voltaire la part d'objectivité et de parti pris.

Il faut avouer que ces deux grands hommes ont été bien différents l'un et l'autre dans leur conduite, dans leur fortune et dans leur Philosophie.

Descartes était né avec une imagination vive et forte, qui en fit un homme singulier dans sa vie privée comme dans sa manière de raisonner. Cette imagination ne put se cacher même dans ses ouvrages philosophiques, où l'on voit à tout moment des comparaisons ingénieuses et brillantes. La nature en avait presque fait un Poète, et en effet il composa pour la Reine de Suède un divertissement en vers que pour l'honneur de sa mémoire on n'a pas fait imprimer.

Il essaya quelque temps du métier de la guerre, et depuis étant devenu tout à fait Philosophe, il ne crut pas indigne de lui de faire l'amour. Il eut de sa maîtresse une fille nommée Francine, qui mourut jeune et dont il regretta beaucoup la perte. Ainsi il éprouva tout ce qui appartient à l'humanité.

Il crut longtemps qu'il était nécessaire de fuir les hommes, et surtout sa Patrie, pour philosopher en liberté. Il avait raison ; les hommes de son temps n'en savaient pas assez pour l'éclaircir, et n'étaient guère capables que de lui nuire.

Il quitta la France parce qu'il cherchait la vérité, qui y était persécutée alors par la misérable Philosophie de l'Ecole ; mais il ne trouva pas plus de raison dans les Universités de la Hollande, où il se retira. Car dans le temps qu'on condamnait en France les seules propositions de sa Philosophie qui fussent vraies, il fut aussi persécuté par les prétendus Philosophes de Hollande, qui ne l'entendaient pas mieux, et qui, voyant de plus près sa gloire, haïssaient davantage sa personne. Il fut obligé de sortir d'Utrecht ; il essuya l'accusation d'Athéisme, dernière ressource des calomniateurs ; et lui qui avait employé toute la sagacité de son esprit à chercher de nouvelles preuves de l'existence d'un Dieu, fut soupçonné de n'en point reconnaître.

Tant de persécutions supposaient un très grand mérite et une réputation éclatante : aussi avait-il l'un et l'autre. La raison perça même un peu dans le monde à travers les ténèbres de l'Ecole et les préjugés de la superstition populaire. Son nom fit enfin tant de bruit qu'on voulut l'attirer en France par des récompenses. On lui proposa une pension de mille écus ; il vint sur cette espérance, paya les frais de la patente, qui se vendait alors, n'eut point la pension, et s'en retourna philosopher dans sa solitude de Nord-Hollande, dans le temps que le grand Galilée, à l'âge de quatre-vingts ans, gémissait dans les prisons de l'Inquisition, pour avoir démontré le mouvement de la terre. Enfin il mourut à Stockholm d'une mort prématurée et causée par un mauvais régime, au milieu de quelques Savants, ses ennemis, et entre les mains d'un Médecin qui le haïssait.

La carrière du Chevalier Newton a été toute différente. Il a vécu quatre-vingt-cinq ans, toujours tranquille, heureux et honoré dans sa Patrie.

Son grand bonheur a été non seulement d'être né dans un pays libre, mais dans un temps où les impertinences scolastiques étant bannies, la raison seule était cultivée ; et le monde ne pouvait être que son écolier, et non son ennemi.

Une opposition singulière dans laquelle il se trouve avec Descartes, c'est que, dans le cours d'une si longue vie, il n'a eu ni passion ni faiblesse ; il n'a jamais approché d'aucune femme : c'est ce qui m'a été confirmé par le Médecin et le Chirurgien entre les bras de qui il est mort. On peut admirer en cela Newton, mais il ne faut pas blâmer Descartes.

L'opinion publique en Angleterre sur ces deux Philosophes est que le premier était un rêveur, et que l'autre était un sage. Très peu de personnes à Londres lisent Descartes, dont effectivement les ouvrages sont devenus inutiles ; très peu lisent aussi Newton, parce qu'il faut être fort savant pour le comprendre ; cependant, tout le monde parle d'eux ; on n'accorde rien au Français et on donne tout à l'Anglais. Quelques gens croient que, si on ne s'en tient plus à l'horreur du Vide, si on sait que l'air est pesant, si on se sert de lunettes d'approche, on en a l'obligation à Newton. Il est ici l'Hercule de la fable, à qui les ignorants attribuaient tous les faits des autres Héros.

Dans une critique qu'on a faite à Londres du discours de M. de Fontenelle, on a osé avancer que Descartes n'était pas un grand Géomètre. Ceux qui parlent ainsi peuvent se reprocher de battre leur nourrice ; Descartes a fait un aussi grand chemin, du point où il a trouvé la Géométrie jusqu'au point où il l'a poussée, que Newton en a fait après lui : il est le premier qui ait trouvé la manière de donner les Equations algébriques des Courbes. Sa Géométrie, grâce à lui devenue aujourd'hui commune, était de son temps si profonde qu'aucun Professeur n'osa entreprendre de l'expliquer, et qu'il n'y avait en Hollande que Schooten et en France que Fermat qui l'entendissent.

Il porta cet esprit de géométrie et d'invention dans la Dioptrique, qui devint entre ses mains un art tout nouveau ; et s'il s'y trompa en quelque chose, c'est qu'un homme qui découvre de nouvelles terres ne peut tout d'un coup en connaître toutes les propriétés : ceux qui viennent après lui et qui rendent ces terres fertiles lui ont au moins l'obligation de la découverte. Je ne nierai pas que tous les autres ouvrages de M. Descartes fourmillent d'erreurs.

La Géométrie était un guide que lui-même avait en quelque façon formé, et qui l'aurait conduit sûrement dans sa Physique ; cependant il abandonna à la fin ce guide et se livra à l'esprit de système. Alors sa Philosophie ne fut plus qu'un roman ingénieux, et tout au plus vraisemblable pour les ignorants. Il se trompa sur la nature de l'âme, sur les preuves de l'existence de Dieu, sur la matière, sur les lois du mouvement, sur la nature de la lumière ; il admit des idées innées, il inventa de nouveaux éléments, il créa un monde, il fit l'homme à sa mode, et on dit avec raison que l'homme de Descartes n'est en effet que celui de Descartes, fort éloigné de l'homme véritable.

Il poussa ses erreurs métaphysiques jusqu'à prétendre que deux et deux ne font quatre que parce que Dieu l'a voulu ainsi. Mais ce n'est point trop dire qu'il était estimable même dans ses égarements. Il se trompa, mais ce fut au moins avec méthode, et avec un esprit conséquent ; il détruisit les chimères absurdes dont on infatuait la jeunesse depuis deux mille ans ; il apprit aux hommes de son temps à raisonner et à se servir contre lui-même de ses armes. S'il n'a pas payé en bonne monnaie, c'est beaucoup d'avoir décrié la fausse.

Je ne crois pas qu'on ose, à la vérité, comparer en rien sa Philosophie avec celle de Newton : la première est un essai, la seconde est un chef-d'œuvre. Mais celui qui nous a mis sur la voie de la vérité vaut peut-être celui qui a été depuis au bout de cette carrière.

Descartes donna la vue aux aveugles; ils virent les fautes de l'Antiquité et les siennes. La route qu'il ouvrit est, depuis lui, devenue immense. Le petit livre de Rohaut a fait pendant quelque temps une physique complète; aujourd'hui, tous les recueils des Académies de l'Europe ne font pas même un commencement de système : en approfondissant cet abîme, il s'est trouvé infini. Il s'agit maintenant de voir ce que M. Newton a creusé dans ce précipice.

3. MERLEAU-PONTY, CRITIQUE DE KANT ET DE DESCARTES

Dans l'Avant-Propos à la *Phénoménologie de la Perception* (© Gallimard, Bibliothèque des Idées, 1945, p. III à IX), l'auteur écrit :

> *Descartes et surtout Kant ont délié le sujet ou la conscience en faisant voir que je ne saurais saisir aucune chose comme existante si d'abord je ne m'éprouvais existant dans l'acte de la saisir, ils ont fait paraître la conscience, l'absolue certitude de moi pour moi, comme la condition sans laquelle il n'y aurait rien du tout et l'acte de liaison comme le fondement du lié. Sans doute l'acte de liaison n'est rien sans le spectacle du monde qu'il lie, l'unité de la conscience, chez Kant, est exactement contemporaine de l'unité du monde, et chez Descartes le doute méthodique ne nous fait rien perdre puisque le monde entier, au moins à titre d'expérience nôtre, est réintégré au Cogito, certain avec lui, et affecté seulement de l'indice « pensée de... ». Mais les relations du sujet et du monde ne sont pas rigoureusement bilatérales : si elles l'étaient, la certitude du monde serait d'emblée, chez Descartes, donnée avec celle du Cogito et Kant ne parlerait pas de « renversement copernicien ». L'analyse réflexive, à partir de notre expérience du monde, remonte au sujet comme à une condition de possibilité distincte d'elle et fait voir la synthèse universelle comme ce sans quoi il n'y aurait pas de monde. Dans cette mesure, elle cesse d'adhérer à notre expérience, elle substitue à un compte-rendu une reconstruction. On comprend par là que Husserl ait pu reprocher à Kant un « psychologisme des facultés de l'âme » et opposer, à une analyse noétique qui fait reposer le monde sur l'activité synthétique du sujet, sa réflexion noématique qui demeure dans l'objet et en explicite l'unité primordiale au lieu de l'engendrer.*

Le monde est là avant toute analyse que je puisse en faire et il serait artificiel de le faire dériver d'une série de synthèses qui relieraient les sensations, puis les aspects perspectifs de l'objet, alors que les unes et les autres sont justement des produits de l'analyse et ne doivent pas être réalisés avant elle. L'analyse réflexive croit suivre en sens inverse le chemin d'une constitution préalable et rejoindre dans « l'homme intérieur », comme dit saint Augustin, un pouvoir constituant qui a toujours été lui. Ainsi la réflexion s'emporte elle-même et se replace dans une subjectivité invulnérable, en deçà de l'être et du temps. Mais c'est là une naïveté, ou, si l'on préfère, une réflexion incomplète qui perd conscience de son propre commencement. J'ai commencé de réfléchir, ma réflexion est réflexion sur un irréfléchi, elle ne peut pas s'ignorer elle-même comme événement, dès lors elle s'apparaît comme une véritable création, comme un changement de structure de la conscience, et il lui appartient de reconnaître en deçà de ses propres opérations le monde qui est donné au sujet parce que le sujet est donné à lui-même. Le réel est à décrire, et non pas à construire ou à constituer. Cela veut dire que je ne peux pas assimiler la perception aux synthèses qui sont de l'ordre du jugement des actes ou de la prédication. A chaque moment mon champ perceptif est rempli de reflets, de craquements, d'impressions tactiles, fugaces que je suis hors d'état de relier précisément au contexte perçu et que cependant je place d'emblée dans le monde, sans les confondre jamais avec mes rêveries. A chaque instant aussi je rêve autour des choses, j'imagine des objets ou des personnes dont la présence ici n'est pas incompatible avec le contexte, et pourtant ils ne se mêlent pas au monde, ils sont en avant du monde, sur le théâtre de l'imaginaire. Si la réalité de ma perception n'était fondée que sur la cohérence intrinsèque des « représentations », elle devrait être toujours hésitante, et, livré à mes conjectures probables, je devrais à chaque moment défaire des synthèses illusoires et réintégrer au réel des phénomènes aberrants que j'en aurais d'abord exclus. Il n'en est rien. Le réel est un tissu solide, il n'attend pas nos jugements pour s'annexer les phénomènes les plus surprenants ni pour rejeter nos imaginations les plus vraisemblables. La perception n'est pas une science du monde, ce n'est pas même un acte, une prise de position délibérée, elle est le fond sur lequel tous les actes se détachent et elle est présupposée par eux. Le monde n'est pas un objet dont je possède par devers moi la loi de constitution, il est le milieu naturel et le champ de toutes mes pensées et de toutes mes perceptions explicites. La vérité n'« habite » pas seulement l'« homme intérieur », ou plutôt il n'y a pas d'homme intérieur, l'homme est au monde, c'est dans le monde qu'il se connaît. Quand je reviens à moi à partir du dogmatisme de sens commun ou du dogmatisme de la science, je trouve non pas un foyer de vérité intrinsèque, mais un sujet voué au monde.

On voit par là le vrai sens de la célèbre réduction phénoménologique. Il n'y a sans doute pas de question sur laquelle Husserl ait mis plus de temps à se comprendre lui-même, — pas de question aussi sur laquelle il soit plus souvent revenu, puisque la « problématique de la réduction » occupe dans les inédits une place importante. Pendant longtemps, et jusque dans des textes récents, la réduction est présentée comme le retour à une conscience transcendantale devant laquelle le monde se déploie dans une transparence absolue, animé de part en part par un série d'aperceptions que le philosophe serait chargé de reconstituer à partir de leur résultat. Ainsi ma sensation du rouge est aperçue comme manifestation d'un certain rouge senti, celui-ci comme manifestation d'une surface rouge, celle-ci comme manifestation d'un carton rouge, et celui-ci enfin comme manifestation ou profil d'une chose rouge, de ce livre. Ce serait donc l'appréhension d'une certaine hylè comme signifiant un phénomène de degré supérieur, la Sinn-gebung, l'opération active de signification qui définirait la conscience, et le monde ne serait rien d'autre que la « signification monde », la réduction phénoménologique serait idéaliste, au sens d'un idéalisme transcendantal qui traite le monde comme une unité de valeur indivise entre Paul et Pierre, dans laquelle leurs perspectives se recoupent, et qui fait communiquer la « conscience de Pierre » et la « conscience de Paul », parce que la perception du monde « par Pierre » n'est pas le fait de Pierre, ni la perception du monde « par Paul » le fait de Paul, mais en chacun d'eux le fait de consciences prépersonnelles dont la communication ne fait pas problème, étant exigée par la définition même de la conscience, du sens ou de la vérité. En tant que je suis conscience, c'est-à-dire en tant que quelque chose a sens pour moi, je ne suis ni ici, ni là, ni Pierre, ni Paul, je ne me distingue en rien d'une « autre » conscience, puisque nous sommes tous des présences immédiates au monde et que ce monde est par définition unique, étant le système des vérités. Un idéalisme transcendantal conséquent dépouille le monde de son opacité et de sa transcendance. Le monde est cela même que nous nous représentons, non pas comme hommes ou comme sujets empiriques, mais en tant que nous sommes tous une seule lumière et que nous participons à l'Un sans le diviser. L'analyse réflexive ignore le problème d'autrui comme le problème du monde parce qu'elle fait paraître en

*moi, avec la première lueur de conscience, le pouvoir d'aller
à une vérité universelle en droit, et que l'autre étant lui aussi
sans eccéité, sans place et sans corps, l'Alter et l'Ego sont un
seul dans le monde vrai, lien des esprits. Il n'y a pas de difficulté à comprendre comment Je puis penser Autrui parce que
le Je et par conséquent l'Autre ne sont pas pris dans le tissu
des phénomènes et valent plutôt qu'ils n'existent. Il n'y a
rien de caché derrière ces visages ou ces gestes, aucun paysage
pour moi inaccessible, juste un peu d'ombre qui n'est que par
la lumière. Pour Husserl, au contraire, on sait qu'il y a un
problème d'autrui et l'alter ego est un paradoxe. Si autrui
est vraiment pour soi, au-delà de son être pour moi, et si nous
sommes l'un pour l'autre, et non pas l'un et l'autre pour
Dieu, il faut que nous apparaissions l'un à l'autre, il faut
qu'il ait et que j'aie un extérieur, et qu'il y ait, outre la perspective du Pour Soi, — ma vue sur moi et la vue d'autrui
sur lui-même, — une perspective du Pour Autrui, — ma vue
sur Autrui et la vue d'Autrui sur moi. Bien entendu, ces
deux perspectives, en chacun de nous, ne peuvent pas être
simplement juxtaposées, car alors ce n'est pas moi qu'autrui
verrait et ce n'est pas lui que je verrais. Il faut que je sois
mon extérieur, et que le corps d'autrui soit lui-même. Ce
paradoxe et cette dialectique de l'Ego et de l'Alter ne sont
possibles que si l'Ego et l'Alter Ego sont définis par leur situation et non pas libérés de toute inhérence, c'est-à-dire si la
philosophie ne s'achève pas avec le retour au moi, et si je
découvre par la réflexion non seulement ma présence à moi-
même mais encore la possibilité d'un « spectateur étranger »,
c'est-à-dire encore si, au moment même où j'éprouve mon
existence, et jusqu'à cette pointe extrême de la réflexion, je
manque encore de cette densité absolue qui me ferait sortir
du temps et je découvre en moi une sorte de faiblesse interne
qui m'empêche d'être absolument individu et m'expose au
regard des autres comme un homme parmi les hommes ou
au moins une conscience parmi les consciences. Le Cogito
jusqu'à présent dévalorisait la perception d'autrui, il m'enseignait que le Je n'est accessible qu'à lui-même, puisqu'il
me définissait par la pensée que j'ai de moi-même et que je
suis évidemment seul à en avoir au moins dans ce sens
ultime. Pour qu'autrui ne soit pas un vain mot, il faut que
jamais mon existence ne se réduise à la conscience que j'ai
d'exister, qu'elle enveloppe aussi la conscience qu'on peut en
avoir et donc mon incarnation dans une nature et la possibilité au moins d'une situation historique. Le Cogito doit me
découvrir en situation, et c'est à cette condition seulement que
la subjectivité transcendantale pourra, comme le dit Husserl,
être une intersubjectivité. Comme Ego méditant, je peux*

*bien distinguer de moi le monde et les choses, puisque assu-
rément je n'existe pas à la manière des choses. Je dois même
écarter de moi mon corps entendu comme une chose parmi
les choses, comme une somme de processus physico-chi-
miques. Mais la cogitatio que je découvre ainsi, si elle est
sans lieu dans le temps et l'espace objectifs, n'est pas sans
place dans le monde phénoménologique. Le monde que je
distinguais de moi comme somme de choses ou de processus
liés par des rapports de causalité je le redécouvre « en moi »
comme l'horizon permanent de toutes mes cogitationes et
comme une dimension par rapport à laquelle je ne cesse de
me situer. Le véritable Cogito ne définit pas l'existence du
sujet par la pensée qu'il a d'exister, ne convertit pas la certitude du monde en certitude de la pensée du monde, et enfin
ne remplace pas le monde même par la signification monde.
Il reconnaît au contraire ma pensée même comme un fait
inaliénable et il élimine toute espèce d'idéalisme en me décou-
vrant comme « être au monde ».*

*C'est parce que nous sommes de part en part rapport au
monde que la seule manière pour nous de nous en apercevoir
est de suspendre ce mouvement, de lui refuser notre compli-
cité (de le regarder* ohne mitzumachen, *dit Husserl),
ou encore de le mettre hors jeu. Non qu'on renonce aux certi-
tudes du sens commun et de l'attitude naturelle, — elles sont
au contraire le thème constant de la philosophie, — mais
parce que, justement comme présupposés de toute pensée,
elles « vont de soi », passent inaperçues, et que, pour les
réveiller et pour les faire apparaître, nous avons à nous en
abstenir un instant. La meilleure formule de la réduction est
sans doute celle qu'en donnait Eugen Fink, l'assistant de
Husserl, quand il parlait d'un « étonnement » devant le
monde. La réflexion ne se retire pas du monde vers l'unité
de la conscience comme fondement du monde, elle prend
recul pour voir jaillir les transcendances, elle distend les fils
intentionnels qui nous relient au monde pour les faire
paraître, elle seule est conscience du monde parce qu'elle le
révèle comme étrange et paradoxal. Le transcendantal de
Husserl n'est pas celui de Kant, et Husserl reproche à la philosophie kantienne d'être une philosophie « mondaine »
parce qu'elle utilise notre rapport au monde, qui est le moteur
de la déduction transcendantale, et fait le monde immanent
au sujet, au lieu de s'en étonner et de concevoir le sujet
comme transcendance vers le monde. Tout le malentendu de
Husserl avec ses interprètes, avec les « dissidents » existen-
tiels et finalement avec lui-même vient de ce que, justement
pour voir le monde et le saisir comme paradoxe, il faut
rompre notre familiarité avec lui, et que cette rupture ne peut*

rien nous apprendre que le jaillissement immotivé du monde. Le plus grand enseignement de la réduction est l'impossibilité d'une réduction complète. Voilà pourquoi Husserl s'interroge toujours de nouveau sur la possibilité de la réduction. Si nous étions l'esprit absolu, la réduction ne serait pas problématique. Mais puisque au contraire nous sommes au monde, puisque même nos réflexions prennent place dans le flux temporel qu'elles cherchent à capter (puisqu'elles sich ein-strömen comme dit Husserl), il n'y a pas de pensée qui embrasse toute notre pensée. Le philosophe, disent encore les inédits, est un commençant perpétuel. Cela veut dire qu'il ne tient rien pour acquis de ce que les hommes ou les savants croient savoir. Cela veut dire aussi que la philosophie ne doit pas elle-même se tenir pour acquise dans ce qu'elle a pu dire de vrai, qu'elle est une expérience renouvelée de son propre commencement, qu'elle consiste tout entière à décrire ce commencement et enfin que la réflexion radicale est conscience de sa propre dépendance à l'égard d'une vie irréfléchie qui est sa situation initiale, constante et finale. Loin d'être, comme on l'a cru, la formule d'une philosophie idéaliste, la réduction phénoménologique est celle d'une philosophie existentielle : l' « In-der-Welt-Sein » de Heidegger n'apparaît que sur le fond de la réduction phénoménologique.

JUGEMENTS SUR DESCARTES MÉTAPHYSICIEN

Ces jugements sont des témoignages récents; pour les jugements des époques antérieures, cf., dans la collection des classiques Larousse, le *Discours de la Méthode*. On ne trouvera pas déplacées certaines des citations qui suivent : elles présentent un réel intérêt historique et démontrent, en tout cas, l'actualité que conservent, après trois siècles, les problèmes soulevés par la métaphysique cartésienne.

[Descartes] a obscurci la philosophie par la pensée technique en juxtaposant la simplification du travail, la médecine et la morale... Le bien-être général de tous les hommes [devient] le sens final de sa philosophie au point de tout subordonner au problème de la production technique.

Karl Jaspers,
Descartes et la philosophie, p. 62 (Paris, 1938).

Parmi toutes les idoles qu'il nous importe d'abattre, il n'en est aucune dont il soit plus urgent de nous débarrasser que de Descartes qu'on a voulu nous représenter comme le représentant définitif du génie français : il faut le faire passer par la fenêtre.

Abel Bonnard,
Éloge de l'ignorance (1942).

Alcibiade et l'esclave, s'ils comprennent une même vérité, sont entièrement pareils en ceci qu'ils la comprennent. De la même façon, la situation d'un homme et ses pouvoirs ne sauraient accroître ou limiter sa liberté. Descartes a fait ici, après les stoïciens, une distinction capitale entre la liberté et la puissance. Etre libre, ce n'est point pouvoir faire ce que l'on veut, mais c'est vouloir ce que l'on peut.

J. P. Sartre,
Descartes, p. 20 (coll. « les Classiques de la liberté »;
les Trois Collines, Genève, Paris, 1945).

L'entreprise était folle... [Descartes] inspira toujours quelque rancœur pour avoir fait dévier le courant de la métaphysique au lieu de la porter plus loin.

R. P. Sertillanges,
Revue *la Porte ouverte*, n° 3, p. 48 (1946).

Au siècle précédent, la Renaissance avait donné le signal d'un essor prodigieux dans tous les domaines de l'esprit. Descartes incarnera les ambitions et les audaces intellectuelles de la bourgeoisie montante et progressive, laborieuse et hardie, riche de talents et impatiente de conquêtes... C'est le désir de voir clair dans ses pensées et ses actions qui fait de Descartes un philosophe, et c'est le désir d'améliorer les conditions matérielles de l'existence humaine qui a fait de lui un auteur.

(Discours de M. Maurice Thorez, alors vice-président du Conseil,
au grand amphithéâtre de la Sorbonne,
2 mai 1946).

Puisque le cartésianisme a fait long feu, après trois siècles, certes, il n'est que de rejeter son goût de la facilité, de renoncer à l'évidence. Allons jusqu'au bout : le critérium de la vérité, ne serait-ce point désormais le mystère ? Le mystère scientifiquement reconnu pour tel et salué par nos savants sous le nom d'inconnaissable... Philosophes, à vos poêles ! mais jusqu'ici on n'aperçoit de poil qu'en la main.

M. Chapelon,
le Figaro littéraire (18 février 1950 ; Commémoration du
300ᵉ anniversaire de la mort de Descartes).

Si c'était là le seul apport de Descartes [d'avoir été un savant, d'avoir montré la voie de la maîtrise du monde], on peut se demander s'il y aurait lieu de l'en remercier.

Yvon Delbos,
ministre de l'Éducation nationale, 17 mars 1950
(Hommage officiel du tricentenaire).

L'U. N. E. S. C. O. se garde d'oublier le message le plus profond de Descartes : l'idée que la vérité ne saurait être obtenue que par un homme qui sait d'abord se rendre maître de lui-même et se définir comme esprit en face d'un monde matériel qu'il domine en le comprenant.

Jaime Torrès-Bodet,
directeur général de l'U. N. E. S. C. O. (1950).

L'individualisme et l'universalisme de la pensée cartésienne appartiennent à presque toute la pensée classique. Mais l'exaltation des pouvoirs de l'homme, de sa liberté et de sa volonté, qui apparente étroitement Descartes à Corneille, ne résistera pas à la leçon de l'histoire, à la défaite de l'aristocratie frondeuse, au succès du scepticisme libertin et du pessimisme janséniste.

Jacques Roger,
in *Histoire de la littérature française*, I
collection U, A. Colin, 1969.

QUESTIONS SUR LES « MÉDITATIONS »

Ire MÉDITATION

1. Le doute sceptique et le doute méthodique : leurs différences.

2. Husserl, dans les *Méditations cartésiennes*, dit que Descartes paraît douter de tout, y compris des vérités mathématiques, mais que, en réalité, il ne doute pas de la méthode mathématique définie comme souci de clarté et d'évidence. Il ne doute pas un instant que la méthode, en métaphysique, peut comporter une clarté et une évidence qui sont identiques à ce qu'en mathématiques on appelle clarté et évidence. (Il va de soi que cette réflexion veut réintroduire en philosophie une méthode appelant clarté l'obscurité, et remplacer le « cogito » par un « cogito préréflexif ».) Peut-il y avoir un rapport entre la clarté et l'évidence mathématiques et métaphysiques ? Si oui, lequel ?

3. Différence entre doute méthodique et hyperbolique. Adopteriez-vous la terminologie de Descartes ? Ne trouvez-vous pas déjà « hyperbolique » ce doute qui consiste à douter de nos sens et de la réalité du monde extérieur ?

IIe MÉDITATION

1. Pourquoi Descartes a-t-il substitué à la formule du *Discours* : « Je pense, donc je suis » la formule « Je pense, je suis » ? (suppression du « donc »).

2. Le « cogito, ergo sum » est-il un syllogisme, la définition d'un acte de l'esprit ou quoi d'autre ?

3. Combien de temps durent le « cogito » et la certitude d'exister qu'il nous procure ? Faut-il parler d'un « cogito » intemporel ou d'un « cogito » instantané ?

4. L'unité de la pensée dans la célèbre formule : « Qu'est-ce qu'une chose qui pense ? c'est-à-dire une chose qui doute, qui conçoit, qui affirme, qui nie, qui veut, qui ne veut pas, qui imagine aussi et qui sent. » (V. p. 38.)

5. La célèbre analyse du morceau de cire prouve-t-elle que le morceau de cire existe et, si oui, que son existence est spirituelle, ou matérielle, ou les deux à la fois ?

IIIe MÉDITATION

1. Le vocabulaire scolastique chez Descartes. Étudier en particulier la définition de Dieu.

2. Comparer la preuve de l'existence de Dieu par le temps dans la IIIe Méditation et celle des *Principes* (I, 21). Qu'est-ce que la « création continuée » ?

IVᵉ MÉDITATION

1. Le « néant » dont parle Descartes a-t-il une réalité positive, comme l'affirment les existentialistes de notre temps ? (Voir en particulier le commentaire de ce texte dans l'*Introduction à la phénoménologie de la perception* de M. Merleau-Ponty.)

2. Théorie de l'entendement et de la volonté chez Descartes. Essayez de définir ce qu'il appelle l'erreur, l'hésitation, le doute, le jugement vrai. Quelle définition donnerait-il, si le problème s'était posé pour lui, de la mauvaise foi ?

3. La liberté d'indifférence étant définie comme le plus bas degré de la liberté, essayez de préciser le sens, dans une perspective cartésienne, des actes gratuits qui encombrent une certaine littérature contemporaine (l'acte de Lafcadio qui, dans *les Caves du Vatican*, jette par la portière son voisin de compartiment, les actes par lesquels les héros de Sartre se prouvent qu'ils sont libres, etc.).

Vᵉ MÉDITATION

1. « Et pourtant elles sont quelque chose et non pas un pur néant ». Cette définition du néant, cette fois purement négative, contredit-elle la précédente, celle que l'existentialisme propose comme positive ?

2. Reprendre la critique de l' « idéal transcendantal », par Kant, et définir la limite (historique) du raisonnement cartésien.

3. Pourquoi tous les arguments qui démontrent Dieu se ramènent-ils à l'argument ontologique ?

VIᵉ MÉDITATION

1. « Car par la nature, considérée en général, je n'entends maintenant autre chose que Dieu même, ou bien l'ordre et la disposition que Dieu a établie dans les choses créées. » Descartes a-t-il jamais entendu autre chose en parlant de Dieu ?

2. Le problème de l'union de l'âme et du corps. Pourquoi Descartes distingue-t-il trois types de connaissances ? Intéressez-vous en particulier à la connaissance de l'union âme-corps. Est-elle confuse ou claire ? Ou encore peut-on avoir une idée claire du confus ?

QUESTIONS GÉNÉRALES

1. Pourquoi, à votre avis, l'œuvre de Descartes a-t-elle été mise tout entière à l'index ?

2. Quels sont les vrais disciples de Descartes en notre temps ?

Ceux qui se réclament de l'acte de la pensée qui se prouve elle-même, du libre arbitre, ou ceux qui mènent œuvre de science ? Ceux qui raisonnent en fonction de l'état le plus avancé des sciences, ou ceux qui se réfèrent aux dogmes que Descartes n'a pu, ou osé, révoquer en doute ?

3. Étudier le Dieu de Descartes à l'aide de cette pensée de Pascal (fragm. 77) : « Je ne puis pardonner à Descartes. Il aurait bien voulu, dans toute sa philosophie, se pouvoir passer de Dieu. Mais il n'a pu s'empêcher de lui faire donner une chiquenaude pour mettre le monde en mouvement; après cela, il n'a plus que faire de Dieu. »

SUJETS DE DEVOIRS

(Toutes les questions précédentes et les jugements sur Descartes peuvent servir de sujets de dissertation.)

— Descartes a-t-il besoin d'être défendu? Si oui, contre qui? Et pourquoi, après trois cents ans, a-t-il encore des ennemis?

— Vous composerez, compte tenu des tendances philosophiques et politiques représentées au Gouvernement, le discours d'un ministre qui célèbre, trois cents ans après la mort du philosophe, l'actualité de sa pensée ou son inactualité.

— Classicisme et cartésianisme. Différences et ressemblances.

— La fameuse définition de la philosophie, d'après Hegel — « la philosophie est le monde à l'envers » —, s'applique-t-elle à celle de Descartes? s'applique-t-elle à toute la philosophie de Descartes?

— Doute cartésien et doute sceptique.

— Est-il vrai, comme l'affirme Sartre, que Descartes ait repris la distinction célèbre entre « liberté » et « puissance »?

— Descartes écrit-il bien ou mal? Si la question n'a pas de sens, expliquez pourquoi et tentez d'apprécier le « style » de Descartes sans le séparer pourtant de sa pensée.

— Que pensez-vous de l'opposition entre Pascal et Descartes? Peut-on les considérer comme les chefs de file de deux tendances opposées de la philosophie, comme les tenants de deux méthodes différentes, et, d'une façon plus générale, reconnaître en eux les sources de deux grands courants de la pensée française? Si oui, tentez de les caractériser. — L'élève s'aidera, d'une part, des *Pensées* écrites par Pascal contre Descartes (« Misère de l'homme », pensées 192 à 197), des *Réflexions sur le Pari de Pascal*, de Lachelier, et de l'*Anti-Pascal* de J.-M. Carré, par exemple, et, d'autre part, des 14e et 25e *Lettres anglaises* de Voltaire, où ce dernier prend la défense de Descartes contre Pascal.

———

TABLE DES MATIÈRES

IMPRIMERIE HÉRISSEY. — 27000 - ÉVREUX. —
Janvier 1973. Dépôt légal 1973-1ᵉʳ. — Nº 21294. — Nº de série Editeur 8600.
IMPRIMÉ EN FRANCE (Printed in France). — 34 312 W-2-78.

les dictionnaires Larousse

sont constamment tenus à jour :

NOUVEAU PETIT LAROUSSE

Le seul dictionnaire encyclopédique mis à jour tous les ans, aussi bien dans la partie « vocabulaire » que dans la partie « lettres, arts, sciences ». L'auxiliaire indispensable de l'écolier, du lycéen et de l'étudiant, dans toutes les disciplines.
1 896 pages (15 × 21 cm), 5 535 illustrations et 215 cartes en noir, 56 pages en couleurs dont 26 hors-texte cartographiques, atlas.
Existe également en édition grand format (18 × 24 cm), mise en pages spéciale, illustré en couleurs à chaque page : **NOUVEAU PETIT LAROUSSE EN COULEURS.**

LAROUSSE CLASSIQUE

Le dictionnaire du baccalauréat, de la 6e à l'examen : sens moderne et classique des mots, tableaux de révision, cartes historiques, etc. 1 290 pages (14 × 20 cm), 53 tableaux historiques, 153 planches en noir, 48 h.-t. et 64 cartes en noir et en couleurs.

NOUVEAU LAROUSSE UNIVERSEL
en deux volumes

A la fois dictionnaire du langage (mots nouveaux, prononciation, étymologie, niveaux de langue, remarques grammaticales, tableaux de conjugaison,...) et encyclopédie alphabétique complète et à jour. 1 800 pages (23 × 30 cm), 5 000 photographies, dessins et cartes, 198 pages de hors-texte en couleurs.

LAROUSSE 3 VOLUMES EN COULEURS

retenu parmi les « 50 meilleurs livres de l'année ».
Le premier grand dictionnaire encyclopédique illustré en 4 couleurs à chaque page, qui fera date par la nouveauté de sa conception. Reliure verte ou rouge au choix (23 × 30 cm), 3 300 pages, 400 tableaux, 400 cartes.

en dix volumes + un supplément (21 × 27 cm)
GRAND LAROUSSE ENCYCLOPÉDIQUE

Dans l'ordre alphabétique, toute la langue française, toutes les connaissances humaines. 11 264 pages, 450 000 acceptions, 34 524 illustrations et cartes en noir, 346 hors-texte en couleurs.